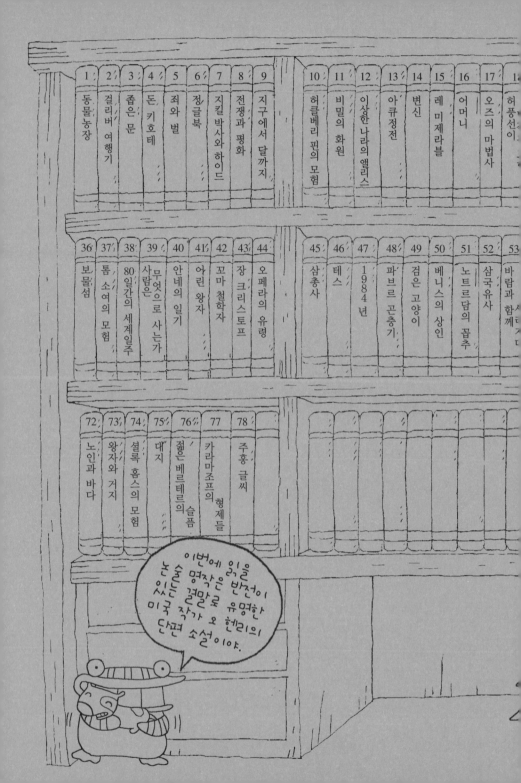

아이세움 논술 | 명작 79

마지막 잎새

감수 방민호

서울대 국문과, 같은 과 대학원을 졸업했습니다. 제1회 창비신인평론상과 제18회 김달진문
학상을 수상했으며, 현재 서울대 국문과 교수로 재직 중입니다. 〈비평의 도그마를 넘어〉,
〈문명의 감각〉을 비롯한 많은 책을 쓰고 엮었습니다.

아이세움 논술 | 명작 79

마지막 잎새

원작 오 헨리 | **엮음** 현소 | **그림** 정영아 | **감수** 방민호
펴낸날 2010년 12월 20일 초판 1쇄, 2013년 10월 25일 초판 5쇄
펴낸이 김영진

본부장 조은희 | **사업실장** 이영호
편집장 박철주 | **편집·진행** 위혜정, 고여주, 백한별, 이미호, 안아름 | **디자인** 강륜아
펴낸곳 (주)미래엔 | **주소** 서울시 서초구 잠원동 41-10
전화 마케팅 02)3475-3843~4 편집 02)3475-3924 | **팩스** 02)541-8249
등록 1950년 11월 1일 제16-67호 | **홈페이지** www.i-seum.com

ISBN 978-89-378-4968-8 74840
ISBN 978-89-378-4116-3 (세트)

· 책값은 뒤표지에 있습니다.
· 파본은 구입처에서 교환해 드리며, 관련 법령에 따라 환불해 드립니다. 다만, 제품 훼손 시 환불이 불가능합니다.

Mirae Ⓝ 아이세움은 (주)미래엔의 어린이책 브랜드입니다.

아이세움 논술 | 명작 79

마지막 잎새

오 헨리 원작

현소 엮음 | 정영아 그림

아이세움
i-seum

명작은 인간과 사회를 이해하는 첫걸음입니다

 많은 사람들에게 재미와 감동을 주는 탁월한 작품을 명작이라고 합니다. 그중 시간과 공간을 초월하여 변함없이 사랑받아온 작품을 고전이라고 하지요.

우리는 어릴 때부터 고전과 명작 읽기의 중요성에 대해 배워 왔습니다. 고전 명작이 소중한 이유는 그 안에 인간과 사회에 대한 작가의 치열한 상념이 녹아 있기 때문입니다. 탄탄한 서사 구조 속에 재미와 감동은 물론, 시대를 대변하는 보편적인 가치가 반영되어 있기 때문입니다.

따라서 고전 명작을 읽을 때에는 작품 속 주제 의식이나 작가의 세계관을 올바로 이해하려는 노력이 필요합니다. 작가가 작품을 쓰던 당시의 사회적 배경이 어떠하였는지, 또 작품에서 가장 중요하게 다루고 있는 논쟁거리가 무엇인지에 대해 깊이 고민해야 합니다. 주제, 줄거리 등을 단편적으로 암기하는 것이 아니라 작가와 교감을 통해 인간과 사회에 대한 이해를 넓혀 가는 것입니다. 이런 노력이 뒷받침되어야 우리는 비로소 고전 명작을 읽었다라고 이야기할 수 있습니다.

〈아이세움 논술 | 명작〉은 고전 명작이 어른들의 전유물이라는 편견을 버리고, 재미있는 삽화와 쉬운 문장으로 구성하였습니다. 그리고 작품을 읽기 전에 작품을 둘러싼 시대적 배경을 알려 주고 읽은 후에는 작품에 대해서 토론하면서 생각할 수 있도록 구성되어 있습니다. 어린 독자들이 고전에 친숙해질 수 있는 기회를 주는 책이라고 생각합니다.

어린 시절에 읽는 양서 한 권이 어린이의 미래를 바꿉니다. 부디 〈아이세움 논술 | 명작〉으로 세계를 바라보는 안목을 높이고 자기만의 세계를 공고히 다져 나가기 바랍니다.

서울대학교 국어국문학과 교수
방 민 호

명작 읽기의 소중함

 열심히 책만 읽기에는 너무 고단한 우리 학생들에게 다시 '논술' 열풍이 불고 있다. 학생들이 스스로 즐겨 그렇게 된 것은 아니지만, 학생들을 위해 결코 나쁜 일이라고만 말할 수는 없을 것이다.

새삼스러운 얘기일 터이지만 좋은 글을 쓸 수 있는 가장 빠른 길은 "많이 읽고(다독多讀) · 많이 쓰고(다작多作) · 많이 생각(다상량多商量)" 하는 삼다(三多)밖에 다른 것이 없다.

먼저 다독이 문제다. 많이 읽는다고 해서 아무 책이나 마구잡이로 읽는 것을 다독이라고 하지는 않는다. 많이 읽되, 좋은 책을 읽을 때 그것이 다독이다. 그렇다면 어떤 책이 좋은 책일까?

우선 고전이라 할 명작에는 사람이 세상을 살면서 알아야 할 온갖 삶의 지혜와 가치가 담겨 있다. 가령 〈지킬 박사와 하이드〉에서는 인간 내면에 혼재해 있는 선과 악의 대립을, 〈동물농장〉

에서는 삶을 한없이 타락시키는 전체주의와 아름다운 삶을 지향하는 인간의 무한한 이상의 끊임없는 갈등과 투쟁에 대한 반추를 해 볼 수 있다. 이런 고전을 재미있게 읽고 생각하는 기회를 갖는 것이 바로 좋은 글을 쓸 수 있는 바탕이다. 문제는 고전이 너무 어렵고 분량이 방대하다는 점이다.

이번에 출간된 〈아이세움 논술 l 명작〉은 원전의 내용을 재구성해 어린 학생들이 쉽게 고전과 친해지도록 만들었다. 지루함을 덜기 위해 캐릭터를 사용해서 그 캐릭터들과 끊임없이 교감하며 끝까지 책을 손에서 놓지 못하게 만든 것도 이 시리즈의 특색이요 장점일 터이다. 책 뒤에 논술을 학습할 수 있도록 논술 워크북과 가이드북을 제공하여 '학습과 논술'이라는 두 문제를 다 해결할 수 있도록 배려한 점도 주목할 만하다. 어린 학생들이 편안하고 소중한 독서 경험을 하리라 본다.

물론 이 명작선은 완역본이 아니므로 이것만 읽어서는 해당 작품을 제대로 읽었다고 말할 수 없을 것이다. 그러나 훗날 학생들이 성장하여 완역본으로 다시 읽고 올바르게 이해하는 데 큰 도움이 되도록 세심한 배려를 했다.

이 점도 이 시리즈가 귀하고 값진 이유이다.

시인
신경림

| 차 례 |

안녕, 난 **번빠리**야. 오 헨리의 단편에는 인생의 기쁨과 슬픔이 담겨 있어 아주 감동적이야!

안녕, 난 **뒤뚱이**야. 오 헨리의 단편 소설들은 분량은 짧지만 깊은 의미를 담고 있어.

박테리아   고로케   튜브   팬티맨

PART 1

PART 1 PART 1

PART 1 PART 1 PART 1

PART 1 PART 1 PART 1 PART 1

PART 1 PART 1 PART 1 PART 1 PART

PART 1 PART 1 PART 1 PART 1 PART 1

PART 1 PART 1 PART 1 PART 1 PART 1

PART 1 PART 1 PART 1 PART 1

PART 1 PART 1 PART 1

PART 1 PART 1

명작 살펴보기

〈마지막 잎새〉에 나오는
노화가의 걸작품을 보러 가 볼까?

PART 1

명작 살펴보기

존시에게 희망과 용기를……

번빠리와 뒤뚱이와 팬티맨이 〈마지막 잎새〉의 주인공
존시의 병문안을 갔어요. 폐렴을 앓고 있는 존시를 진찰한
의사는 회복할 가망성이 없다며 고개를 내저어요. 과연
존시는 이대로 세상을 떠나고 마는 걸까요?

큰일이에요. 존시는 살려는 의지도 희망도 없이 마지막 남은 잎새가 떨어지기만을 기다리며 죽음을 눈앞에 두고 있어요. 세찬 비바람까지 몰아치면 마지막 남은 한 잎은 떨어지고 말겠죠? 존시의 운명은 **어떻게 될까요?**

따뜻한 시선으로 그려 낸 평범한 사람들의 삶

이제부터 읽어 볼 이야기는 미국 작가 오 헨리의 단편 소설들이에요. 이 책에는 오 헨리의 대표적인 단편 소설 가운데 여섯 편이 실려 있어요. 이야기 속에 나오는 사람들은 모두 고단한 삶을 살아가는 평범한 사람들이에요.

폐렴에 걸려 삶의 희망을 잃은 가난한 화가, 서로 가장 소중한 물건을 팔지 않고서는 크리스마스 선물조차 사기 힘든 가난한 부부, 사랑하는 사람에게 자신의 과거를 숨겨야만 하는 전직 금고 강도 등등. 그러나 오 헨리는 지극히 평범하고 어두운 삶을 살아가는 사람들의 모습을 따뜻한 시선으로 그려 내고 있어요.

오 헨리를 만나면 세상이 아름다워져요!

삶을 포기했던 화가는 노화가의 희생으로 다시 살아갈 힘을 얻어요. 가난한 부부는 진정한 크리스마스 선물이 무엇인지를 보여 주지요. 전직 금고 강도는 잡혀갈 위험에 처했으면서도 금고문을 부숴 오히려 새로운 삶을 찾을 가능성을 갖게 되고, 빈민가의 가련한 부인은 웃을 수도 울 수도 없는 상황을 자아내요. 유괴범들은 아이에게 휘둘리기만 하다가 상상치도 못한 결말로 배꼽을 잡고 웃게 만들어요.

각각의 이야기의 결말은 읽는 사람들을 깜짝 놀라게 하면서, 미처 예상하지 못했던 웃음과 감동을 전해 주고 있어요.

대체 이들에게는 어떤 일이 일어난 걸까요? 과연 예상을 뛰어넘는 어떤 결말들이 웃음과 감동을 자아내는 것일까요?

> 오 헨리의 단편 소설들을 읽으면 세상이 참 아름답다는 걸 느낄 거야.

〈마지막 잎새〉

가난한 화가 존시가 폐렴에 걸린다. 삶의 희망을 잃어버린 존시는 비바람에도 떨어지지 않는 마지막 담쟁이 잎새를 보고 삶의 의욕을 되찾는다. 존시는 마지막 남은 담쟁이 잎새에 얽힌 눈물겨운 사연을 듣고 깜짝 놀란다.

〈크리스마스 선물〉

델러는 남편에게 줄 크리스마스 선물을 사기 위해 머리카락을 잘라 팔아 시곗줄을 산다. 한편 남편 짐도 델러를 위해 소중한 물건을 팔아 선물을 준비한다. 둘은 서로의 선물을 확인하고 감동한다.

〈다시 찾은 삶〉과 〈할렘의 비극〉

〈다시 찾은 삶〉에서 금고 강도 지미는 사랑하는 사람을 위해 잡혀갈 것을 알면서도 금고 문을 부순다. 〈할렘의 비극〉의 캐시디 부인은 성실한 남편이 답답해 엉뚱한 행동을 하지만 뜻밖의 결과를 맞는다.

〈붉은 추장의 몸값〉과 〈20년 뒤〉

〈붉은 추장의 몸값〉에서 빌과 샘은 아이를 납치해 몸값을 받으려 한다. 그러나 아이는 상상하지 못한 행동으로 둘을 골탕 먹인다. 〈20년 뒤〉에서 보브와 지미는 20년 전 약속을 지키기 위해 약속 장소에서 만나지만 안타까운 만남이 되고 만다.

열어 봐!

평생 단편 소설만 쓴 오 헨리

오 헨리는 〈귀여운 여인〉과 희곡 〈벚꽃 동산〉으로 유명한 러시아 작가 안톤 체호프, 〈목걸이〉로 유명한 프랑스 작가 기 드 모파상과 더불어 세계 3대 단편 소설의 거장으로 꼽혀요.

단편 소설은 보통 200자 원고지 70매 내외 분량의 길이가 짧은 형태의 소설을 말해요. 분량이 짧기 때문에 줄거리는 단순하지만 치밀한 구성과 간결한 문체를 특징으로 하지요.

평생 단편 소설만 쓴 오 헨리는 300여 편에 가까운 단편 소설을 발표했는데, 인간을 향한 따뜻한 시선과 독자들이 전혀 예상하지 못한 결말을 이끌어 내 많은 사랑을 받았답니다.

▲ 미국 텍사스 주 오스틴에 있는 오 헨리 박물관이에요.

반전을 통해 전해지는 유머와 감동

오 헨리의 단편들은 특히 치밀한 구성과 간결한 문체로 유명해!

오 헨리의 단편 소설에 등장하는 인물들은 주로 가난하고 답답한 상황에 처해 있으며, 우울한 구석도 있는 서민들이에요. 감춰야 할 비밀을 지녔거나 도덕적이지 못한 범죄자도 등장하지요. 그러나 오 헨리의 소설이 전해 주는 느낌은 심각하거나 비판적이지 않아요. 오 헨리의 단편들은 고단한 삶을 그리면서도 읽는 사람을 미소 짓게 하고, 박장대소하게 만들며, 마침내 뭉클한 감동까지 전해 주지요.

이러한 유머와 감동은 이야기의 기발한 반전에서 나오고 있어요. 오 헨리는 평범한 이야기에서 예상치 못한 결말을 이끌어 내는 것으로 유명해요. 이렇듯 극적인 반전을 통해 전해지는 유머와 감동은 읽는 사람의 입가에 웃음을 짓게 만들지요.

▲ 미국 텍사스 주 샌안토니오에 있는 오 헨리가 살았던 집이에요.

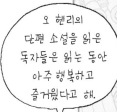

오 헨리의 단편 소설을 읽은 독자들은 읽는 동안 아주 행복하고 즐거웠다고 해.

잠시 휴식! 멜론을 먹고 〈마지막 잎새〉를 읽어 보세요!

PART 2 PART 2
PART 2 PART 2 PART 2
PART 2 PART 2 PART 2
PART 2 PART 2 PART 2 PART 2
PART 2 PART 2 PART 2 PART 2 PART 2
PART 2 PART 2 PART 2 PART 2 PART 2 PART 2
PART 2 PART 2 PART 2 PART 2 PART 2
PART 2 PART 2 PART 2 PART 2
PART 2 PART 2 PART 2
PART 2 PART 2

PART 2

명작 읽기

마음이 따뜻해지는
오 헨리의 이야기 속으로
들어가 볼까?

PART 2

명작 읽기

1장
마지막 잎새

    미국 맨해튼 남부에 자리한 워싱턴 광장 서쪽 지역은 좁고 구불구불한 골목길이 어지럽게 뻗어 있다. 제멋대로 뻗은 골목길은 이 지역을 조각조각 쪼개 놓았다.

    골목길로 쪼개진 이 지역의 생김새는 무척이나 복잡하고 기묘奇妙했다. 길모퉁이를 돌면 얼마 못 가 또 길모퉁이와 마주쳤고, 그렇게 이어진 길을 걷다 보면 원래 출발했던 자리로 되돌아오는 경우가 많았다.

    한 화가가 이 골목길을 활용할 수 있는 재미있는 가능

기묘(奇妙): 생김새 따위가 이상하고 묘함.

성을 발견하고는 손뼉을 쳤다.

"그림물감이나 종이, 캔버스 등의 외상값을 받으러 온 사람이 이 거리에 들어섰다가 들어온 길로 되돌아 나오면 정말 황당하겠는걸."

가난한 화가들이 이 복잡한 거리에 속속 둥지를 틀었다. 이 골목에 자리한 집들은 오래되어 낡기는 했지만 예스러운 분위기를 간직하고 있었다. 지붕 옆면 끝머리에 '∧'자 모양의 널빤지를 붙인 18세기풍의 박공지붕과 네덜란드풍의 다락방은 고상하고 아담한 분위기를 자아냈다. 그리고 무엇보다 집값이 쌌다. 예술인 마을인 그리니치 빌리지는 그렇게 해서 생겨났다.

이 거리에 둥지를 튼 가난한 화가 가운데 수와 존시도 있었다. 메인 주 출신의 수와 캘리포니아 주 출신의 존시는 8번 가에 있는 델모니코 식당에서 우연히 만나 알게 되었다. 둘 다 부풀어진 긴 소매 끝에 주름을 잡은 옷을 입고

미국 뉴욕 시 맨해튼 섬 남부에 있는 그리니치 빌리지는 주로 예술가들이 사는 곳이야.

있었으며, 치커리 샐러드를 주문한 것도 똑같았다. 게다가 둘 다 화가였다. 수와 존시는 허름하지만 아담한 3층 벽돌 건물 꼭대기에 공동 화실을 꾸미고 함께 지내기로 했다.

수와 존시가 공동 화실을 꾸몄을 때는 햇살이 따사로운 5월이었다. 몇 달이 지나 11월이 되었다. 심술궂은 북풍이 이 마을에 반갑지 않은 손님을 끌고 왔다. 폐렴이었다. 무지막지한 손님은 얼음장같이 찬 손을 휘두르며 온 마을을 휩쓸고 다녔다. 아무도 초대하지 않은 이 손님은 수십 명의 목숨을 앗아갔다. 손님은 마침내 예술인 마을에까지 침범했다. 이 무법자도 복잡하기 짝이 없는 예술인 마을에서는 기세가 꺾였는지 슬쩍 지나쳐 갔다.

그러나 1년 내내 따뜻하고 햇살이 반짝이는 캘리포니아에서 자란 존시는 이 무법자의 습격을 감당해 내지 못하고 침대에 드러눕고 말았다. 존시는 페인트칠이 벗겨진 낡은 침대에 누워 꼼짝도 못했다. 그저 유리창 밖의 이웃집 벽만을 멍하니 바라보았다.

어느 날 아침이었다. 존시의 상태를 살펴본 의사가 눈 짓으로 수를 불러냈다. 수는 양손을 앞으로 모아 마주 잡고 의사 앞에 섰다. 의사는 덥수룩한 회색 눈썹을 살짝 찌푸리며 입을 열었다.

"저 아가씨가 살 수 있는 가능성은…… 음, 열에 하나쯤 될 거요."

의사는 체온계를 흔들어 눈금을 내리며 말을 이었다.

"그것도 살아야겠다는 의지가 있을 때 얘기예요. 지금처럼 죽을 날만 손꼽아 기다려서는 약도 의사도 아무 소용이 없어요. 저 아가씨는 자기는 절대 낫지 않을 거라고 절망하고 있어요. 저 아가씨의 기운을 북돋울 만한 게 뭐 없을까요?"

"존시는 언젠가 나폴리 만을 그려 보고 싶다고 말한 적이 있어요."

수가 눈물을 글썽이며 말하자 의사가

나폴리 만은 이탈리아 반도 서쪽 연안에 있는 반원 모양의 만이야. 북쪽에는 세계 3대 미항의 하나인 나폴리가 있고 동쪽은 활화산인 베수비오 산이 있어 경치가 무척 아름답단다.

단호하게 말을 잘랐다.

"그림이라니, 그림이라니! 지금 상태로는 말도 안 되는 소리요. 다른 것은 없소? 저 아가씨의 기분을 바꿔 놓을 다른 것, 예를 들면 남자 친구라든가……."

이번에는 수가 퉁명스럽게 의사의 말을 막았다.

"남자 친구라고요? 그런 건 없어요. 존시의 마음속에는 그림 말고는 다른 건 없어요, 선생님."

"허, 그러니 꼭 살아야겠다는 의욕(意慾)이 생길 리 없지. 아무튼 최선을 다해 보겠지만 무엇보다 병을 이겨 내겠다는 환자의 의지가 중요해요. 만일 저 아가씨가 올 겨울에 어떤 외투가 유행할까 하는 것에 대해서라도 관심을 갖는다면 나을 확률은 다섯에 하나라고 장담(壯談)할 수 있소."

의사가 돌아간 뒤 수는 작업실에서 손수건이 푹 젖도록 울었다.

의욕(意慾) : 무엇을 하고자 하는 적극적인 마음이나 욕망.
장담(壯談) : 확신을 가지고 아주 자신 있게 말함.

"아아, 존시에게 눈물로 범벅이 된 얼굴을 보여 줄 수 는 없어."

수는 눈물로 얼룩진 뺨을 닦고 헝클어진 머리카락을 재빨리 매만졌다. 그러고는 화판을 겨드랑이에 끼고 명랑한 척 휘파람을 불며 존시가 누워 있는 방으로 들어갔다.

"존시, 자는 거야?"

존시는 조용히 누워 있었다. 파리한 얼굴은 작은 창문 쪽을 향해 있었다. 수는 존시가 잠이 들었나 싶어 휘파람을 그쳤다. 조심스레 화판을 펼친 수는 그림을 그리기 시작했다. 잡지의 소설小說에 들어갈 그림을 완성해야 했다. 승마용 바지와 외알 안경으로 멋을 부린 카우보이를 그리고 있는데 나지막한 목소리가 들려왔다. 수는 재빨리 침대로 다가갔다.

"존시, 왜 그래? 많이 아파?"

소설(小說) : 사실 또는 작가의 상상력에 바탕을 두고 허구적으로 이야기를 꾸며 나간 산문체의 문학 양식. 분량에 따라 장편·중편·단편으로, 내용에 따라 과학 소설·역사 소설·추리 소설 따위로 구분함.

존시는 수를 부른 것이 아니었다. 그녀는 창밖을 바라보며 숫자를 세고 있었다. 그런데 숫자를 거꾸로 세는 것이었다.

존시는 지금 무슨 계산을 하고 있는 거지? 그런데 왜 거꾸로 숫자를 셀까?

"열 둘……."

조금 있다가 또 세었다.

"열 하나."

숫자는 점점 줄어들었다.

"열."

"아홉."

이번에는 거의 동시에 수를 세었다.

"여덟, 그리고 일곱……. 아아!'

'도대체 무엇을 세고 있는 걸까?'

수는 어리둥절해서 창밖을 내다보았다. 창밖으로 보이는 것이라고는 낙엽을 떨군 나무가 쓸쓸히 서 있는 텅 빈 마당과 이웃해 있는 벽돌집의 벽뿐이었다. 벽에는 가지가 앙상한 담쟁이덩굴만 을씨년스럽게 흔들리고 있었다.

"대체 무엇을 세는 거야, 응?"

"여섯."

존시가 속삭이듯 가녀린 목소리로 말했다.

"점점 빨리 떨어지고 있어, 수! 사흘 전만 해도 거의 100개나 달려 있어서 한참을 세야 했거든. 그런데 이제는 아주 쉬워졌어. 아, 또 하나 떨어지네. 이제 남은 건 다섯 개뿐이야. 다섯……."

수는 정신없이 창밖만 바라보며 중얼거리는 존시가 걱정스러웠다. 이마에 손을 짚어 열이 나는지 확인한 뒤 존시의 얼굴을 돌려 눈을 맞추었다.

"존시, 날 좀 봐! 도대체 뭐가 다섯 개 남았다는 거니? 무슨 말인지 알아듣게 말을 해 봐, 응?"

"잎새 말이야, 수. 저기 담쟁이덩굴에 붙어 있는 잎새. 사흘 전부터 잎새들이 떨어지는 걸 보고 있었어. 마지막 잎새가 떨어지면 나도 가는 거야. 의사 선생님이 그렇게 말하지 않았니?"

수는 마치 화가 난 사람처럼 빠르게 말했다.

"그런 바보 같은 소리가 어디 있어? 저 시들어 빠진 담쟁이 잎새가 네 병하고 무슨 상관이 있다는 거야. 저 담쟁이덩굴도 한여름에는 무성茂盛했다는 걸 생각해 봐. 다시는 바보 같은 생각하지 마, 존시. 의사 선생님은 네가 나을 수 있다고 했어! 네가 낫지 않을 가능성은 겨우 열에 하나래. 뉴욕에 살면서 전차를 타거나 새로 짓는 건물 앞을 지날 때도 그 정도 위험은 늘 있는 거 알지?

그러니, 자 이제 일어나서 이 수프를 좀 먹어 봐. 그러면 기운이 좀 날 거야."

존시는 파리한 얼굴을 다시 창밖으로 돌렸다.

떨어지는 낙엽은 이 세상과 작별하는 게 아니고 다음 해 봄에 푸른 잎을 틔우기 위해 준비하는 거야, 존시!

"아무것도 먹고 싶지 않아. 또 한 잎이 떨어지네. 남은 건 넷이야. 어둡기 전에 마지막 잎새가 떨어지는 걸 보고 싶어. 그럼, 나도 가는 거야."

"제발, 존시! 어리석은 말 좀 그만

무성(茂盛) : 풀이나 나무 따위가 자라서 우거져 있음.

해. 내가 그림을 다 그릴 때까지 제발 창밖은 그만 보고 좀 자 두지 않을래? 커튼을 닫아 주고 싶지만, 저 그림을 내일까지 완성하려면 빛이 필요하단 말이야. 내일 그림을 갖다주고 돈을 받으면, 너에게 줄 포도주를 좀 살 수 있을 거야."

"작업실에 가서 그리면 안 될까?"

존시는 담쟁이덩굴에서 눈을 떼지 않고 말했다. 다른 것에는 아무 관심도 없다는 말투였다. 그러나 수는 이 방에서 나갈 수 없었다.

방을 비운 사이에 존시의 병세가 악화될지도 몰랐고, 담쟁이 잎새가 다 떨어지는 걸 보면 수가 어떤 생각을 할지 겁이 났던 것이다. 수의 끈질긴 설득에 진 존시는 잠시 눈을 붙이기로 했다.

"그럼, 네가 그림을 다 그리고 나면 알려 줘야 해. 마지막 잎새가 떨어지는 걸 보고 싶으니까. 이제 기다리는 것도 지쳤어. 아래로 아래로 떨어지는 저 가엾고 지친 잎새처럼 나도 모든 것을 놓아 버리고 싶어."

가련한 존시의 모습에 수는 눈물이 핑 돌았다.

"나는 가서 버먼 영감님을 좀 불러올게. 늙은 광부를 그려야 하는데 버먼 영감님이 모델로 딱 좋을 것 같거든. 금방 돌아올게. 꼭 자야 해."

버먼 영감은 같은 건물 1층에 사는 늙은 화가였다. 곱슬곱슬한 수염을 늘어뜨린 모습이 언뜻 보기에는 마치 미켈란젤로가 그린 모세처럼 장엄해 보였지만 그에 어울리지 않게 요정처럼 작은 몸집을 하고 있었다.

그는 실패한 화가였다. 젊은 시절부터 내리 몇 십 년 동안이나 붓을 쥐고 캔버스와 씨름을 해 왔지만 아직 예술의 여신 치맛자락 근처에도 가 본 적이 없었다.

늘 술에 취해 걸작을 그리겠다고 큰소리는 치고 있지만 지난 몇 해 동안 상업용이나 광고용 그림을 몇 편 그린 것 외에는 아무것도 그리지 못하고 있다. 이따금 가난한 화가들의 모델이 되어 주고 얻은 푼돈으로 집세를 내

걸작(傑作) : 매우 훌륭한 작품.

는 처지였다. 그러면서도 아무에게나 뼈아픈 말을 거침없이 날렸다.

"한탕 해 먹자는 그런 돼먹지 않은 생각을 가진 자는 결코 좋은 그림을 그릴 수 없어. 자네는 그림을 그리지 말고 사업이나 해 보게."

예술인 마을의 화가 대부분은 버먼 영감을 좋아하지 않았다. 그러나 버먼 영감은 수와 존시에게는 은근히 친절했다. 같은 집에 사는 이 젊은 화가들을 자기가 지켜 줘야 한다는 사명감이라도 가진 듯 행동했다.

수가 버먼 영감의 방에 들어서니 싸구려 술 냄새가 코를 찔렀다. 굴속처럼 어둠침침한 방 안에는 걸작의 일필逸을 기다리고 있는 새하얀 캔버스가 보였다. 버먼 영감은 구석에 고개를 숙이고 앉아 있었다.

수는 버먼 영감에게 존시가 담쟁이 잎새에 품고 있는 터무니없는 망상에 대해 이야기해 주었다.

일필(逸筆) : 뛰어난 붓놀림이라는 뜻으로, 뛰어난 글이나 그림, 또는 그런 재능.

"떨어지는 잎새를 바라보며 마음이 약해지는 그 애가 정말 시든 잎새처럼 훅 날아가 버릴 것만 같아서 그 애를 보는 게 괴로워요."

버먼 영감은 어떻게 그런 멍청한 생각을 하냐며 펄펄 뛰었다. 핏발 선 그의 눈에는 눈물까지 고였다.

"얼간이 같으니라고! 담쟁이덩굴에서 잎새가 떨어진다고 저도 죽는다니, 그런 말은 머리털 나고 처음 듣는 소리야. 이 아가씨야, 왜 존시가 한심한 생각을 하도록 내버려두는 거야? 그런 멍청이의 모델을 서 줄 수는 없어."

"그 애는 지금 몹시 아파서 마음까지 약해진 것 같아요. 버먼 할아버지께서 모델을 서 주실 수 없다면 할 수 없죠. 그럼, 전 이만 가겠어요."

수가 쌀쌀맞게 말하며 돌아서자 버먼 영감이 혀를 끌끌 차며 슬며시 일어섰다.

"허 참, 누가 모델을 안 서 주겠다고 했나?

아무리 몸이 아파서 마음이 약해졌다고는 하지만 떨어지는 잎새를 보고 자기도 죽겠다는 생각을 하는 존시를 정말 이해할 수 없어.

자, 같이 올라가자고. 이 거리는 존시 같은 착한 아가씨가
앓아누울 곳이 못 돼. 내가 조만간 걸작을 그릴 테니, 그
때 우리 다 같이 이곳을 떠나도록 하자고. 그렇게 될 거
야, 아무렴!"

두 사람이 위층에 올라가 보니 존시는 잠이 들어 있었
다. 수는 창문의 커튼을 닫고는 버먼 영감의 도움을 받아
캔버스와 화구(畵具)를 작업실로 옮겼다.

진눈깨비가
흘날리면서 거센 바람까지
붙다고? 그럼 이제 담쟁이
잎새는 모두 지고 마는 거
아냐? 큰일인걸.

두 사람은 잠시 아무 말 없이 창밖을 바
라보았다. 흐린 하늘에 진눈깨비가 흩
날리고 있었다. 두려운 기색이 두 사람
의 얼굴에 스치고 지나갔다.

버먼 영감은 낡은 푸른색 셔츠를 입고
늙은 광부의 포즈를 취했다. 거센 바람
소리가 들려오는 가운데 사각사각 스케
치하는 소리가 이어졌다.

화구(畵具) : 그림을 그리는 데 쓰는 여러 가지 도구.

이튿날 아침, 존시의 침대맡에 엎드려 깜박 잠이 들었던 수가 깨 보니 존시가 창문을 가린 커튼을 빤히 쳐다보고 있었다.

"커튼을 걷어 줘, 수. 보고 싶단 말이야."

수는 하는 수 없이 무거운 마음으로 커튼을 살며시 젖혔다. 머릿속으로는 존시에게 해 줄 희망적인 말을 계속 찾고 있었다.

그런데 도대체 이게 웬일인가!

밤새도록 사나운 비바람이 몰아쳤는데도 앙상한 가지에는 아직도 담쟁이 잎새 하나가 붙어 있었다.

그 마지막 잎새는 비록 가장자리는 노란색으로 시들어 있었지만 아직도 초록색을 간직하고 있었다. 짙은 초록색 잎자루가 벽 위를 가로지른 말라 비틀어진 줄기에 굳세게 매달려 있었다.

"아, 마지막 잎새야."

희망(希望) : 앞일에 대하여 어떤 기대를 가지고 바람.

존시가 가볍게 한숨을 쉬며 속삭였다.

"간밤에 바람 소리 들었지, 수? 비바람에 하나도 남김 없이 다 떨어졌을 거라고 생각했는데……. 어차피 곧 떨어지겠지, 뭐. 그럼 나도 세상과 안녕하는 거야."

"제발, 존시!"

수는 꺼칠해진 존시의 얼굴을 어루만지며 지친 듯이 말했다.

"존시, 내 생각도 좀 해 줘. 나는 어쩌라고? 너 없이 나는 어떻게 살라고?"

존시는 아무 대답도 하지 않았다.

이 세상에서 가장 고독孤獨한 존재는 멀고도 신비로운 죽음의 여행을 떠날 채비를 하고 있는 영혼이리라. 존시는 자신을 이 세상과 연결시켜 주고 있는 매듭을 하나씩 하나씩 풀어 버리고 있는 것 같았다. 우정이라는 매듭마저도.

고독(孤獨) : 세상에 홀로 떨어져 있는 듯이 매우 외롭고 쓸쓸함.

날이 저물어 어둑어둑해질 때까지도 하나 남은 담쟁이 잎새는 줄기에 매달려 있었다. 밤이 되자 다시 세찬 북풍이 휘몰아쳤다. 바람이 몰고 온 비가 창문을 두드리기 시작했다. 빗방울은 사정없이 작은 창문을 두드렸다. 처마에서는 빗방울이 쉴 새 없이 흘러 떨어졌다.

날이 밝자마자 존시는 커튼을 걷어 달라고 말했다. 수가 좀 더 자는 게 어떻겠냐고 아무리 권해도 막무가내였다. 수는 절망적인 기분으로 커튼을 젖혔다.

아!

그런데 이게 웬일인가!

담쟁이 잎새는 지난밤의 모진 비바람에도 여전히 그 자리에 매달려 있었다.

존시는 오랫동안 마지막 잎새에서 눈을 떼지 않았다. 그러다 고개를 돌려 수를 불렀다. 수는 존시에게 줄 닭고기 수프를 젓고 있었다.

"수, 미안해. 내가 정말 나빴어. 내가 얼마나 나쁜 애인지 알려 주려고 누군가 저 마지막 잎새를 남겨 놓은 거야.

삶을 포기하는 건 죄라는 걸 이제 알았어. 수, 나 수프 먹을래. 그리고 우유에 포도주를 조금 타서 주면 좋겠어. 아, 손 거울도 갖다 줘. 나 좀 일으켜 줄래? 앉아서 머리도 좀 빗고, 네가 요리하는 모습을 보고 싶어."

존시가 떨어지지 않고 끈질기게 매달려 있는 마지막 잎새를 보고 살려는 희망을 품었어. 정말 다행이야!

수는 기쁜 마음으로 존시를 일으켜 등에 베개를 받쳐 주고, 어깨에 담요를 둘러 주었다. 수가 요리하는 것을 가만히 바라보고 있던 존시가 말했다.

"수, 나는 언젠가 꼭 나폴리 만을 그릴 거야."

오후가 되자 의사가 존시를 진찰하러 왔다. 복도에서 의사는 수에게 말했다.

"이제 그 아가씨가 나을 가능성은 반반이오. 간호만 잘해 주면 병을 이길 수 있겠어요."

의사는 수의 떨리는 두 손을 잡아 주고는 아래층으로 내려가며 말했다.

"나는 이제 아래층에 있는 환자를 보러 가야 해요. 버먼 씨라든가, 그 환자도 아가씨들처럼 화가인 모양이던데……. 역시 폐렴이오. 나이가 많은 데다 급성이라서 아주 위험한 상태라오. 나을 가망은 거의 없지만 일단 입원을 시켜야 할 것 같소. 병원에 있으면 고통을 좀 덜 수 있을 테니까."

다음날 다시 찾아와 존시를 진찰한 뒤 의사는 고개를 끄덕였다.

"이제 위험한 고비는 완전히 넘겼소. 친구가 병을 이겨 냈단 말이오. 이제 충분한 영양 섭취와 안정만 취하면 돼요. 당신이 이겼소."

야호! 존시가 병을 이겨 냈대! 희망만큼 좋은 약은 없나 봐!

그날 오후 수는 침대에 앉아 있는 존시에게 다가갔다. 존시는 짙은 초록색 실로 목도리를 뜨고 있었다. 쓸모 있어 보이지는 않았지만 존시는 평온하고 만족스러운 표정을 짓고 있었다. 수는 감정이 북받쳐 존시를 꼭 끌어안았다.

"예쁜 존시, 너에게 할 얘기가 있어."

수는 나직한 목소리로 이야기를 시작했다.

"버먼 할아버지가 오늘 병원에서 폐렴으로 돌아가셨대. 앓아누운 지 이틀밖에 되지 않았는데 말이야. 엊그제 아침에 관리인이 방에 쓰러져 있는 할아버지를 발견했는데 옷과 신발이 온통 다 젖어서 얼음장처럼 차갑더래. 그렇게 비바람이 사납던 밤에 할아버지가 어딜 다녀오셨는지 도무지 짐작을 할 수 없었다는 거야.

그러다가 그때까지도 불이 켜져 있는 초롱과 사다리, 쓰던 붓들과 팔레트를 발견했대. 팔레트에는 초록색 물감이랑 노란색 물감이 섞여 있더래.

존시, 저기 창밖을 봐. 벽에 붙어 있는 저 마지막 잎새 말이야. 바람이 부는데 조금도 움직이지 않는 게 이상하지 않니? 아아, 저건 버먼 할아버지가 남긴 걸작품이야. 마지막 잎새가 떨어지던 밤에 할아버지가 벽에 그려 놓으신 거라고."

2장
크리스마스 선물

1달러 87센트. 델러가 가진 돈은 그것이 전부였다. 세고 또 세어 보아도 틀림없는 1달러 87센트였다. 그중 60센트는 1센트짜리 동전이었다. 이 동전은 델러가 채소 가게와 푸줏간에서 반찬거리를 사면서 한 푼 두 푼 깎아 모은 것이었다. 이 동전을 모으느라고 '이 여자 정말 지독한 구두쇠로군.' 하는 가게 주인의 무언無言의 비난에 얼굴을 붉힌 적이 한두 번이 아니었다.

델러는 돈을 다시 한 번 세어 보았다. 1달러 87센트였

무언(無言) : 말이 없음.

다. 내일은 크리스마스였다. 델러는 낡은 침대에 얼굴을 묻고 엉엉 울고 말았다. 우는 일 말고는 달리 뾰족한 수가 없었다. 인생은 흐느낌과 울음과 미소^{微笑}로 이루어져 있는데, 그중 가장 많은 것이 울음이라는 말이 떠오르는 광경이었다.

이 집의 여주인 델러가 슬픔을 가라앉히는 동안 잠시 집 안을 둘러보기로 하자. 일주일에 8달러의 집세를 내야 하는 아파트에는 삐그덕 소리가 나는 낡아 빠진 가구들이 딸려 있다. 값나가는 가구라고는 눈 씻고 찾아봐도 없는 초라한 살림이었다.

아래층 현관에는 부서진 편지함과 아무리 눌러도 소리가 나지 않는 초인종이 달려 있고, 그 위에 '제임스 딜링햄 영'이라는 문패가 붙어 있다. 델러의 남편 이름이다.

미소(微笑) : 소리 없이 빙긋이 웃음. 또는 그런 웃음.

한때 딜링햄은 일주일에 30달러의 수입을 올렸다. 그러나 일주일에 20달러로 수입이 줄어든 지금은 문패에 쓰인 이름마저 흐릿하게 보이는 듯했다.

그러나 제임스 딜링햄 영 씨가 직장에서 집으로 돌아와 2층의 집 안으로 들어서면 딜링햄의 부인 델러는 늘 '짐'이라고 다정하게 부르면서 달려가 열렬한 포옹을 했다. 참으로 흐뭇한 광경이었다.

마침내 델러는 울음을 그치고 거울 앞에 서서 분첩으로 뺨을 두들겼다. 그러고는 창가에 서서 뒷마당의 잿빛 울타리를 걸어다니는 잿빛 고양이를 멍하니 바라보았다.

"내일이 크리스마스인데 사랑하는 남편에게 선물을 사 줄 돈이 겨우 저것밖에 없다니……."

델러는 입술을 깨물었다.

"돈을 좀 더 모을 수는 없었을까?"

짐이 벌어 오는 일주일에 20달러로 집세 8달

아! 사랑하는 남편에게 선물을 해야 하는데 돈이 너무 적어서 울었던 거였어!

러를 내고 나머지 돈으로 생활을 꾸리려면 늘 부족했다. 아무리 악착스럽게 아껴도 돈은 생각처럼 모이지 않았다. 지금 델러의 전 재산인 1달러 87센트도 몇 달에 걸쳐 모은 것이었다.

"짐에게 정말 멋진 선물을 사 주고 싶은데…… 짐에게 어울리는 멋지고 귀한 선물 말이야. 짐이 진짜 원하고, 짐이 지니고 있으면 가치가 높아지는 선물이 뭘까?"

델러는 남편을 위해 어떤 선물을 하면 좋을까 궁리[窮理] 하면서 행복한 시간을 보냈다. 그러다 불현듯 다시 거울 앞으로 가서 자신의 모습을 뚫어지게 바라보았다.

거울은 폭이 무척 좁아서 뚱뚱한 사람이라면 제대로 자기 모습을 볼 수 없을 정도였다. 델러는 날씬한 몸을 움직여 민첩하게 자세를 바꾸어 가면서 이리저리 비춰 보았다.

델러가 머리핀을 풀자 탐스러운 머리카락이 무릎 아래까지 치렁치렁 드리워졌다. 그녀의 두 눈이 밝게 빛나고

궁리(窮理) : 마음속으로 이리저리 따져 깊이 생각함.

뺨이 발그스레해지더니 이내 창백해졌다.

딜링햄 부부에게는 두 가지 자랑거리가 있었다. 하나는 할아버지에게서 물려받은 것을 아버지가 짐에게 물려준 금시계였다. 만일 솔로몬 왕이 이 아파트의 지하실에 보물을 잔뜩 쌓아 두고 있다고 해도 짐은 그 시계를 솔로몬 왕에게 자랑하며 부러워하는 왕의 모습을 즐겼을 것이다.

또 하나의 자랑거리는 델러의 머리카락이었다. 델러의 머리채는 폭포수가 떨어지듯 물결치며 반짝이고 있었다. 만일 솔로몬 왕의 시바 여왕이 벽 하나를 사이에 둔 옆집에 살았다면 델러는 창문 밖으로 머리채를 늘어뜨리고 왕비의 값진 보석과 미모를 무색無色하게 했을지도 모른다.

델러의 눈에서 눈물 한 방울이 툭 떨어졌다. 붉은색 양탄자에 눈물방울들이 동그랗게 자국을 남겼다. 델러는 뭔가를 결심한 듯 다시 머리채를 감아올리더니 바삐 외출복으로 갈아입었다.

무색(無色) : 겸연쩍고 부끄러움.

낡은 갈색 재킷을 걸치고 낡은 갈색 모자를 쓴 델러는 총총걸음으로 방문을 나와 층계를 내려갔다. 눈에는 아직도 눈물이 맺혀 있었다.

상점들이 늘어서 있는 거리에 들어선 그녀가 걸음을 멈춘 곳은 '마담 소프로니-머리 용품'이라는 간판이 걸려 있는 건물 앞이었다.

델러는 잠시 숨을 멈추고 간판을 올려다보더니 곧 잰걸음으로 계단을 올랐다. 가게 안에는 몸집이 크고 살결이 유난히 흰 마담 소프로니가 손님을 기다리고 있었다. 델러는 망설임을 떨치려는 듯 단숨에 마담에게 다가갔다.

두 가지 자랑거리 가운데 하나인 머리카락을 판다고? 짐이 알면 실망하지 않을까?

"제 머리카락을 사 주실 수 있나요?"

"모자를 좀 벗어 보시겠어요?"

델러가 모자를 벗자 갈색 폭포수가 잔물결을 일으키며 차르르 흘러내렸다. 마담은 익숙한 손길로 머리카락을 이리저리 쓸어 보았다. 그러더니 무게를 재려는 듯

손아귀에 머리채를 쥐고 들어 올렸다.

"20달러 드리지요."

"네, 좋아요."

그 뒤의 두 시간은 행복하게 흘러갔다. 델러는 짐에게
줄 선물을 사기 위해 상점가를 샅샅이 뒤지고 다녔다. 마
침내 짐에게 꼭 맞는 선물을 찾아냈다. 다른 상점에서는
찾아볼 수 없는 것이었다. 그 물건을 찾아냈을 때 델러는
탄성을 질렀다.

"아아! 바로 이거야! 드디어 짐의 선물로 안성맞춤인
것을 찾아냈어!"

그것은 백금으로 된 시곗줄이었다. 장식이 단순하면서
도 고급스러워 보였다. 보면 볼수록 조잡粗雜하지 않고 고
상한 멋을 풍겼다. 짐의 훌륭한 금시계에 매도 조금도 초
라해 보이지 않을 그런 물건이었다.

델러의 머릿속에는 이 백금 시곗줄을 맨 금시계로 시간

조잡(粗雜) : 말이나 행동, 솜씨 따위가 거칠고 잡스러워 품위가 없음.

을 확인하는 짐의 모습이 떠올랐다. 이제 짐은 남들 앞에서도 떳떳이 시간을 확인할 수 있으리라. 훌륭하고 멋진 시계를 갖고 있음에도 낡은 가죽끈을 시곗줄로 사용하고 있었기 때문에 짐이 남몰래 시계를 꺼내 보는 것을 델러는 잘 알고 있었다.

집으로 돌아오는 내내 델러의 기분은 장밋빛이었다.

'정말 짐에게 잘 어울리는 선물이야. 수수하면서도 품위品位가 있어 보이는 게 짐과 꼭 닮았어. 이걸 보면 짐이 얼마나 기뻐할까.'

그러나 집에 돌아오자 황홀했던 기분은 점차 사라졌다. 이성을 되찾은 델러는 냉정한 눈으로 거울 속에 비친 자기 모습을 관찰했다. 볼품없이 짧아진 머리카락을 이리저리 쓸어 넘겨 보았다. 마치 더벅머리 소년 같아 보였다.

"짐이 나를 보면 뭐라고 할까? 밉다고 하지 않으면 좋겠는데. 그래도 할 수 없어. 1달러 87센트로 무슨 선물을

품위(品位) : 사물이 지닌 고상하고 격이 높은 인상.

살 수 있겠어."

그녀는 인두를 불에 달구어 머리카락을 지지기 시작했다. 짧은 머리카락이 곱슬곱슬하게 말아졌다. 짧은 머리카락을 손질하는 일은 긴 머리를 손질하는 것보다 더 힘들고 시간이 많이 걸렸다. 40분 뒤 짧은 고수머리로 변한 델러는 거울 앞에 섰다.

"꼭 합창단에서 노래 부르는 소년 같군. 자, 이제 저녁 준비를 해야지. 오늘은 크리스마스이브잖아. 특별히 맛있는 음식을 준비해 놔야지."

그녀는 거울 속의 자기 자신에게 들으라는 듯이 큰 소리로 중얼거리고는 저녁 식사를 준비하기 시작했다. 7시가 되자 저녁 식사를 위한 모든 준비가 끝났다.

커피는 끓여 놓고 프라이팬은 금방이라도 요리를 할 수 있을 정도로 달궈 놓았다. 짐이 돌아오는 즉시 요리를 하면 바로 식사를 할 수 있을 것이었다.

짐은 늘 같은 시간에 집에 돌아왔다. 다른 남자들처럼 일이 끝난 뒤에 쓸데없이 어슬렁거리다가 늦는 법은 결코 없었다.

델러는 시곗줄을 꼭 쥐고 짐의 발걸음 소리를 초조焦燥하게 기다렸다. 곧 층계를 올라오는 익숙한 발걸음 소리가 들려오자 델러의 얼굴이 창백해졌다. 델러는 두 손을 모으고 나지막하게 중얼거렸다.

"하느님, 제발 그이가 저를 여전히 예쁘다고 생각하게 해 주소서."

문이 열리고 짐이 들어왔다. 짐은 델러와 마찬가지로 여윈 몸을 낡은 외투로 감싸고 있었다. 이제 겨우 스물두 살밖에 되지 않았지만 가장이라는 무거운 짐을 짊어지고 있어서인지 어딘지 엄숙한 표정을 하고 있는 젊은이였다.

짐은 문간에서 꼼짝도 하지 않았다. 마치 토끼 냄새라도 맡은 사냥개처럼 델러를 응시하고 있었다. 델러는 정

초조(焦燥) : 애가 타서 마음이 조마조마함.

말 먹잇감이라도 된 것처럼 몸을 떨었다.

그녀가 읽어 낼 수 없는 낯선 감정感情이 남편의 시선에 감돌고 있었던 것이다. 그것은 분노도, 놀람도, 공포도, 비난도 아닌 어떤 것이었다.

짐은 그녀가 전혀 예상하지 못했던 표정으로 그녀를 뚫어져라 바라보았다.

짐의 시선에 감도는 낯선 감정은 뭘까? 분노도 놀람도 비난도 아니라잖아!

"여보, 짐. 제발 저를 그런 눈으로 보지 마세요. 오늘은 크리스마스이브잖아요. 당신에게 선물을 드리고 싶어서 제 머리카락을 잘라 팔았어요. 머리는 다시 자랄 거예요. 제 머리카락은 굉장히 빨리 자라거든요. 괜찮지요, 짐? 저에게 크리스마스 인사를 해 주세요. 그래야 당신을 위해 산 선물을 빨리 드릴 수 있잖아요. 얼마나 멋진 선물인지 모른답니다."

"머, 머리카락을 잘랐다고?"

감정(感情) : 어떤 현상이나 일에 대하여 일어나는 마음이나 느끼는 기분.

"그래요. 잘라서 팔았어요. 머리카락이 짧아도 저는 저예요. 예전처럼 저를 사랑해 주시는 거죠, 짐?"

한참을 못 박힌 듯 서 있던 짐은 방 안을 빙빙 돌며 중얼거렸다.

"당신이 머리를 잘랐다고……. 당신의 긴 머리카락이 이젠 없어졌다고……."

짐은 넋이 나간 표정으로 같은 말을 몇 번이나 되풀이했다. 델러는 거의 울상이 되었다.

"팔아 버렸어요. 팔아서 이젠 없어져 버렸다고요. 여보, 오늘은 크리스마스이브예요. 저를 바라보고 예전처럼 상냥하게 말해 주세요. 제 머리카락은 당신을 위해서 판 것이니까요. 제 머리카락의 수는 헤아릴 수 있을지 몰라도, 당신에 대한 제 사랑은 헤아릴 수 없어요. 짐, 시장하시죠? 저녁을 준비할까요?"

짐은 잠시 길을 잃고 떠돌던 넋이 돌아온 듯 델러를 바라보았다. 그러고는 성큼성큼 다가와 델러를 가슴에 꼭 끌어안았다.

잠시 사랑이 넘쳐흐르는 두 사람에게 눈을 돌려 이런 문제를 생각해 보자. 일주일에 8달러를 버는 것과 일주일에 100만 달러를 버는 것에는 어떤 차이가 있을까?

아무리 셈에 밝고 똑똑한 사람에게 물어본다 해도 이 질문에 옳은 대답을 하지 못할 것이다.

성경에 나오는 동방 박사東方 博士들도 값진 선물을 가지고 왔지만 여기에 대한 대답은 그 선물 속에서도 찾을 수 없다. 이 말이 무슨 뜻이냐고? 잠시 뒤에 수수께끼의 답이 밝혀지리라.

"델러, 오해하지 마. 내가 멍하니 있었던 건 머리카락을 자른 당신이 예쁘지 않아서가 아니야. 그깟 머리카락을 잘랐다고 해서 당신을 사랑하지 않게 되다니 말도 안 돼! 이걸 보면 왜 내가 멍청하게 서 있을 수밖에 없었는

동방 박사(東方 博士): 베들레헴에서 예수가 탄생했을 때에, 별을 보고 동쪽에서 찾아와 아기 예수에게 경배하고 황금, 유약, 몰약의 세 가지 예물을 바쳤다고 하는 세 명의 점성술가.

지 알게 될 거야."

짐은 외투 주머니에서 작은 꾸러미를 꺼내 델러에게 건네주었다. 델러는 재빨리 포장지를 풀어 안에 든 것을 꺼내 보았다.

'아아!"

델러의 입에서 터져 나온 기쁨의 탄성은 곧 통곡으로 바뀌었다. 델러가 너무나 큰 소리로 우는 바람에 짐은 그녀를 의자에 앉히고는 울음을 그칠 때까지 힘껏 안고 토닥이지 않을 수 없었다.

포장지 속에서 나온 물건은 델러가 오래 전부터 갖고 싶어 했던 머리빗이었다. 옆머리와 뒷머리에 꽂을 수 있는 한 세트의 빗은 브로드웨이에 있는 가게 앞을 지날 때마다 홀린 듯이 진열장 안을 들여다보게 하던 그 빗이었다. 가장자리에 촘촘히 보석을 박아 넣은 진짜 바다거북의 등딱지로 만든 아름다운 머리빗. 그러나 그 빗은 이제 폭포수

델러는 머리카락을
잘라 선물을 샀는데
머리빗을 사 왔다고?
아, 코끝이 찡하네!

같은 머리채가 없어진 그녀에게는 아무짝에도 쓸모없는 것이었다.

델러는 그 빗을 갖는다는 건 생각도 하지 못했다. 한눈에 보기에도 값비싼 물건이었던 것이다. 그런데 그 빗이 이제 자기 손에 들어오다니! 장식할 머리채가 없어진 지금에.

델러는 머리빗을 꼭 껴안았다. 마침내 울음을 그친 델러가 미소를 지었다.

"짐, 머리카락은 금방 자라요! 내 머리카락은 특히 빨리 자라는 편이에요."

델러는 고인 눈물을 닦아 내고는 새끼 고양이처럼 폴짝 뛰어오르면서 소리쳤다.

"어머나! 당신에게 내 선물을 아직 주지 않았어요!"

델러는 선물을 짐에게 건네주고는 짐의 얼굴을 바라보았다. 백금 시곗줄은 그녀의 사랑의 빛을 받아 더욱 환히 빛나는 듯했다.

"정말 멋지지 않아요, 짐? 이것을 구하려고 시내를 샅샅이 돌아다녔어요. 당신 시계에 이 줄을 매면 정말 멋질 거예요. 하루에도 백 번씩 시간을 확인하고 싶을 거라고요. 제가 당신 시계에 줄을 매 드릴게요. 시계를 저에게 주세요."

그러나 짐은 자리에 풀썩 주저앉았다. 다시 얼빠진 듯한 표정이 스쳐 지나갔다가 곧 싱긋이 유쾌(愉快)한 웃음을 지었다.

"우리의 크리스마스 선물은 당분간 고이 간직해 둡시다. 지금 당장 쓰기에는 너무 훌륭한 것들이니 말이오. 난 당신에게 이 빗을 사 주려고 내 시계를 팔았다오. 자, 이제 저녁을 먹도록 합시다."

이 평범한 이야기는 이렇게 마무리되었다. 여러분도 알다시피 동방 박사들은 말구유에서 태어난 아기 예수에게

유쾌(愉快) : 즐겁고 상쾌함.

선물을 가져다주었던 현명한 사람들이었다.

크리스마스에 선물을 주고받는 풍습도 그들에게서 시작된 것이다. 그들의 선물 또한 틀림없이 현명한 것들이었으리라.

나는 자신들의 가장 소중한 보물을 현명하지 않은 방식으로 희생시켜 버린 싸구려 아파트에 사는 어리석은 한 쌍의 부부 이야기를 서툴게나마 늘어놓았다.

그러나 정작 내가 하고 싶은 말은 이 가난한 부부의 눈물겨운 사랑의 선물은 그 옛날 아기 예수에게 경배하며 드린 동방 박사의 선물처럼 지혜로운 것이라는 사실이다. 이들이 주고받은 사랑의 선물이야말로 동방 박사들의 선물 못지않기 때문이다.

3장
다시 찾은 삶

"9762번!"

지미 발렌타인이 형무소 안에 있는 구두 공장에서 구두를 깁고 있을 때 교도관이 그를 불렀다. 지미는 교도관을 따라 소장실로 갔다. 형무소 소장은 그날 아침 주지사가 서명한 사면장赦免狀을 지미에게 내밀었다. 지미는 귀찮다는 듯 그것을 받아들었다.

지미는 감옥에 열 달 동안 갇혀 있었다. 4년 형을 받았지만 늦어도 석 달만 지나면 감옥에서 나갈 줄 알고 있었

사면장(赦免狀) : 죄를 사면한다는 내용을 적은 서약서.

기에 감격하지도 않았다.

"자네를 내일 아침에 석방시켜 주겠네. 금고는 그만 털고 이제 감옥에서 나가면 착실하게 살도록 하게. 자네가 나쁜 인간이 아니라는 걸 난 잘 알고 있어."

"금고를 그만 털라고요? 저는 지금껏 금고를 털어 본 적이 없습니다."

지미의 말에 형무소 소장이 너털웃음을 터뜨렸다.

"그래? 그렇다면 자네는 어째서 이 감옥에 들어오게 됐지? 누군가의 죄를 대신 뒤집어썼나? 아니면 배심원(陪審員)이 자네에게 원한이라도 있단 말인가? 그 두 가지 경우에 순진한 희생자가 나오기도 하지. 나는 자네가 그 희생자는 아닐 거라 믿네."

지미가 금고를 털 거야? 아닌 거야? 아리송한걸.

"저는 지금껏 한 번도 금고를 털어 본 적이

배심원(陪審員) : 법률 전문가가 아닌 일반 국민 가운데 선출되어 재판에 참여하여 죄의 유무에 대해 판단하고 결정을 내리는 사람.

없습니다."

"하하, 좋네. 하지만 내 말을 명심하는 게 좋을 거야."

이튿날 아침, 9762번 죄수 지미는 '지미 발렌타인' 씨로 돌아가 형무소 담장 밖 밝은 햇살 아래 서 있었다.

하늘을 자유롭게 날며 지저귀는 새와 바람에 살랑이는 푸른 나뭇잎, 코끝을 스치는 꽃향기에도 아랑곳하지 않고 지미는 곧장 식당으로 들어갔다. 통닭과 값비싼 백포도주로 배를 채우고 나서야 비로소 자유로운 몸이 되었다는 걸 만끽했다.

식당에서 나온 지미는 기차역을 향해 느긋하게 걸어가면서 구걸하는 장님의 모자 속에 25센트짜리 동전 한 닢을 던져 주었다.

3시간 뒤에 어느 조그만 마을에 도착한 지미는 마이크 돌런의 술집을 찾았다.

"이야, 지미! 왔군! 빨리 석방시켜 주지 못해 미안하네. 여기저기 틀어막을 입들이 많아서 늦어졌다네. 그래, 건강은 어떤가?"

"괜찮아요. 제 열쇠 갖고 계시죠?"

지미는 열쇠를 받아 2층에 있는 방으로 올라갔다. 모든 것이 그가 떠날 때 그대로였다. 바닥에는 형사들이 그를 체포하기 위해 소동을 벌일 때, 벤 프라이스 형사의 와이셔츠에서 떨어진 단추가 아직도 뒹굴고 있었다.

지미는 벽에서 접이식 침대를 펼친 뒤에 널빤지 한 장을 벽 안으로 밀어 넣었다. 그러자 비밀스러운 공간에서 먼지투성이 가방이 나타났다.

지미는 가방을 열고 그 속에 든 연장 세트를 소중한 보물을 보는 듯한 눈길로 바라보았다. 그것은 동부에서 제일 좋다고 할 만한 금고 강도용 연장 세트였다. 특수 강철로 만들어진 송곳, 집게, 회전 송곳, 조립식 쇠지레, 꺽쇠 등등. 몇 가지는 지미가 직접 고안(考案)해 만들기도 했다. 지미는 이 물건들을 자랑

지미는 진짜 금고를 터는 강도였어. 그런데 그렇게 시치미를 떼다니…….

고안(考案): 연구하여 새로운 안을 생각해 냄.

스럽게 여기고 있었다.

　잠시 뒤 몸에 딱 맞는 말쑥한 양복으로 갈아입은 지미가 아래층 술집에 나타났다. 손에는 번쩍이는 신사용 가방을 들고 있었다.

　"어디 가? 무슨 일거리라도 들어왔나?"

　"무슨 말씀이신지 모르겠습니다. 저는 뉴욕 과자 회사의 영업 사원이라고요."

　"아, 그런가?"

　지미는 마이크가 권한 탄산수를 단숨에 들이켜고 술집을 나섰다.

　9762번 죄수 지미 발렌타인이 석방된 지 일주일 뒤부터 교묘(巧妙)한 금고 강도 사건이 일어나기 시작했다. 처음에는 인디애나 주 리치먼드에서 단서 하나 남기지 않은 금고 강도 사건이 발생했다. 없어진 돈은 불과 800달러에 불과했다.

교묘(巧妙) : 솜씨 따위가 재치 있게 약삭빠르고 묘함.

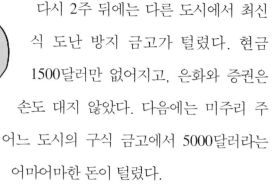

지미가 석방된 뒤에 금고 강도 사건이 줄줄이 일어나고 있어. 지미가 범인이 맞을까?

다시 2주 뒤에는 다른 도시에서 최신식 도난 방지 금고가 털렸다. 현금 1500달러만 없어지고, 은화와 증권은 손도 대지 않았다. 다음에는 미주리 주 어느 도시의 구식 금고에서 5000달러라는 어마어마한 돈이 털렸다.

피해는 점점 늘어났다. 지역 경찰이 단서 하나 찾지 못하자 벤 프라이스 형사가 나서지 않을 수 없었다. 금고가 털린 현장을 조사해 본 벤 프라이스 형사는 구멍으로 들어가는 쥐의 꼬리를 본 고양이 같은 표정을 지었다.

"이건 틀림없는 지미 발렌타인의 솜씨로군. 그놈이 다시 영업을 시작한 게 분명해. 다이얼 자물쇠를 저렇게 깨끗하게 뽑아낼 수 있는 건 그 멋쟁이뿐이거든. 지미, 이 녀석! 이번에 다시 잡히면 맛을 톡톡히 보여 줄 테다."

벤 프라이스 형사는 이미 한 번 지미를 잡았던 경험이 있었다. 그만큼 지미에 대해서 많은 것을 파악하고 있는 형사도 없었다.

지미는 늘 혼자서 행동했다. 멀리 원정(遠征)을 가서 금고를 턴 뒤에는 재빨리 다른 도시로 도주했다. 평상시에는 고상한 취미를 가진 상류 사회 신사처럼 행동했다.

벤 프라이스 형사는 자신의 명예를 걸고 지미 발렌타인을 잡아 합당한 처벌을 받게 하겠다고 별렀다. 그가 범인의 뒤를 쫓고 있다는 소문이 퍼졌다. 금고를 가진 사람들은 비로소 마음을 놓을 수 있었다.

어느 날 오후였다. 아칸소 주의 엘모어라는 작은 마을에 멋지게 차려입은 젊은 신사가 나타났다. 지미였다. 손에는 번쩍이는 검은 가방을 들고 있었다.

그가 호텔을 향해 천천히 걷고 있을 때였다. 한 아가씨가 그를 스쳐 지나가더니, '엘모어 은행'이라는 간판이 붙은 건물로 들어갔다. 지미는 그녀의 눈을 처음 본 순간 자기가 어떤 사람인지 까맣게 잊고 딴 사람이 되고 말았

원정(遠征) : 먼 곳으로 운동 경기 따위를 하러 감.

다. 그녀는 자신을 뚫어져라 쳐다보는 지미와 눈길이 마주치자 눈을 내리깔고 살짝 얼굴을 붉혔다. 시골 마을인 이곳에는 지미처럼 멋진 젊은이가 드물었던 것이다.

지미는 아까부터 은행 계단에서 빈둥거리고 있던 소년을 붙들고 마을의 사정을 캐물었다. 10센트짜리 동전을 주자 대답이 술술 나왔다. 잠시 뒤 아가씨가 은행에서 나와 지미 곁을 지나 도도하게 걸어갔다. 지미는 시치미를 떼고 소년에게 물었다.

"저 아가씨가 폴리아나 양이지?"

"아뇨, 애너벨 애덤스잖아요. 이 은행 주인의 딸이에요. 아저씨는 이 마을에 처음 오셨나 보군요? 동전은 더 없나요?"

지미는 호텔로 가서 방을 잡으며 서명란에 '랠프 D. 스펜서'라는 이름을 써 넣었다. 그러고는 호텔 계산대의 직원에게 이것저것 물어보았다.

"이곳 엘모어에서 장사를 하고 싶은데, 괜찮을까요? 구두 가게를 차리고 싶은데 장래성이 있을까요?"

지미는 이런 시골 마을에서는 보기 드물게 세련되고 예의 바른 신사로 보였다. 호텔 직원은 지미에게 호감을 느꼈는지 성의껏 대답해 주었다.

"구두 전문점이 없어서 장사가 잘될 겁니다. 이 마을에선 모든 종류의 사업이 잘되고 있습니다. 이 마을은 살기도 좋고 또 이곳 사람들은 모두 사교적이죠."

호텔 직원은 속으로 이런 멋쟁이가 가게를 차린다면 분명 세련된 물건을 취급할 테니, 자신도 꼭 가 봐야겠다고 생각했다.

지미, 아니 지미 발렌타인이라는 이름은 사랑의 불꽃에 의해 날아가 버리고 새로 태어난 인물 랠프 스펜서 씨가 가방을 들고 방으로 올라가려 하자 직원이 자기가 들어주겠다고 했지만 스펜서 씨는 정중하게 사양했다. 가방은 꽤 무거운 듯했다.

마침내 스펜서 씨는 이 마을에 구두 가게를 차렸다. 구두 가게는 번창해서 그는 곧 이 마을에서 성공한 젊은 사업가로 이름이 알려졌다. 많은 친구들을 사귀었으며, 소원대로 애너벨 애덤스 양에게도 자신의 존재를 알렸다. 그는 점점 더 그녀에게 빠져들었다. 그녀도 랠프 스펜서 씨에게 점점 더 호감을 느꼈다.

1년이 지나자 랠프 스펜서는 마을 사람들의 신뢰와 존경을 받는 사람이 되었다. 사업은 날로 번창했고 애너벨과는 결혼을 앞두고 있었다. 애너벨은 그를 진심眞心으로 사랑했으며 자랑스럽게까지 생각했다. 그녀의 아버지이자 엘모어 은행의 주인인 애덤스 씨도 그를 사윗감으로 인정하고 약혼을 허락해 주었다.

결혼식을 2주 남겨 둔 어느 날, 지미는 옛 친구에게 편지를 한 통 썼다.

금고 강도인 지미가 이제 범죄의 세계에서 완전히 발을 뺐나 보군.

그리운 옛 친구에게

다음 주 수요일에 리틀록에 있는 설리반의 집에서 만

진심(眞心) : 거짓이 없는 참된 마음.

났으면 하네. 뒤처리를 해야 할 일이 있어서 그렇다네. 그리고 내 연장을 자네에게 선물하려고 하는데 받아 주게. 나는 이제 이 일에서 손을 뗄 생각이야. 사실 1년 전부터 과거의 직업을 버렸다네. 번듯한 가게를 차려 착실하게 살고 있거든.

사랑의 힘이란 위대한가 봐. 지미가 이제 금고를 털지 않겠대!

　　2주 뒤에는 세상에서 가장 사랑스러운 사람과 결혼할 예정이라네. 나는 이제 100만 달러를 준다 해도 절대 남의 돈에 손대지 않고 정직하게 살아갈 거야.

　　결혼을 한 뒤에는 이곳의 가게를 정리하고 서부로 갈 생각이라네. 서부에는 내 어두운 지난날을 아는 사람이 아무도 없을 것 같아서야. 나를 하늘처럼 믿고 있는 그녀를 실망시키고 싶지 않다네. 수요일에 꼭 나와 주게.

　　　　　　　옛 친구 지미로부터

지미가 이 편지를 보내고 며칠 뒤였다. 벤 프라이스 형사가 조용히 엘모어에 도착했다. 그는 며칠 동안 스펜서의 일거수일투족을 감시했다. 구두 가게 앞에서 애너벨과 만나는 그를 보았을 때는 이렇게 중얼거렸다.

"지미 발렌타인, 자네가 은행가의 딸과 결혼을 한다고? 과연 그렇게 될까?"

다음날 아침, 지미는 검은 가방을 들고서 애덤스 씨 댁을 방문했다. 이날은 리틀록에 가서 결혼식 예복을 맞추고 애너벨에게 줄 결혼 선물을 사기로 한 날이었다. 엘모어에 온 뒤 처음으로 이 마을을 떠나는 것이었다. 마지막으로 금고를 턴 지도 벌써 1년이나 지났으니 이제는 안전할 거라 생각했다.

아침 식사를 함께 한 뒤에 지미와 애덤스 씨, 애너벨, 애너벨의 언니와 두 명의 어린 조카들이 집을 나서 은행으로 향했다. 그곳에 리틀록까지 타고 갈 마차가 오기로 되어 있었다.

가는 길에 지미는 몇 번이나 사람들의 인사를 받았다.

사람들은 이 말쑥한 청년을 진심으로 좋아하고 있었다. 지나가는 사람들마다 지미를 칭찬하자 애너벨은 행복감으로 가슴이 벅차올랐다. 애너벨은 장난삼아 지미의 가방을 살짝 들어 보려고 하다가 깜짝 놀랐다.

"랠프! 가방이 왜 이렇게 무겁죠? 마치 황금 벽돌이라도 들어 있는 것 같아요."

"주석으로 도금한 구둣주걱이 가득 들어 있어서 그렇소. 리틀록에 가는 길에 반품하면 운송료가 절약되거든."

얼마 전 앨모어 은행은 최신식 금고실을 설치했다. 애덤스 씨는 은행에 찾아오는 사람마다 그 금고실을 보여 주며 입에 침이 마르도록 자랑을 했다. 애덤스 씨는 딸들과 사윗감에게도 최신식 금고실을 자랑하고 싶었다.

"은행에 새로 들어놓은 기가 막힌 물건을 보여 주지. 모두 따라오라고."

금고실은 작았지만 새로 특허를 받은 최신식 문이 달려 있었다. 문 손잡이에는 튼튼한 세 개의 빗장과 최신 다이얼식 자물쇠까지 달려 있었다. 애덤스 씨는 열심히 금고실 문의 우수함과 조작 방법을 설명했다. 딸들과 그의 사위가 될 스펜서 씨는 큰 관심을 갖지 않는 것처럼 보였다. 애너벨 언니의 두 딸인 아홉 살 메이와 다섯 살 애거서만 번쩍거리는 이상한 장치들을 재미있어 했다.

벤 프라이스 형사는 은행 안에 들어와 난간 사이로 금고실 안쪽을 슬쩍 들여다보고 있었다. 그런데 갑자기 비명소리가 들리더니, 은행에 큰 소동이 일어났다. 어른들이 돌보지 않는 사이에 메이가 애거서를 금고실에 넣고서 문을 닫아 버린 것이었다. 메이는 애덤스 씨가 설명한 대로 자물쇠의 다이얼까지 돌려 버렸다.

"아, 아무리 해도 열리지 않아. 대체 어떻게 된 거지?"

애덤스 씨가 땀을 흘리며 씨름을 했지만 닫힌 금고실 문은 꿈쩍도 하지 않았다. 애거서의 어머니가 발작적으로 비명을 질러 대며 금고를 미친 듯이 두드려 댔다.

"제발 문을 열어 줘요! 아, 내 딸! 저 애는 무서

워서 곧 기절하고 말 거예요! 제발 누가 좀!"

"조용히! 조용히 좀 해 봐라! 애거서, 들리냐?"

애덤스 씨가 소리치자 금고실 안에서 공포에 질려 울어
대는 아이의 소리가 가냘프게 들려 왔다.

"어쩌면 좋은가, 스펜서? 저 문은 리틀록에 있는 기술
자만이 열 수 있는데, 그때까지 아이가 버틸 수 있을까?
안에는 공기도 별로 없고 아이가 놀라 잘못되지 않을까?"

누군가는 다이너마이트로 금고를 폭파시키는 게 어떻
겠냐고 말했다. 애너벨은 두 눈에 눈물을 담고 약
혼자의 얼굴을 바라보았다. 그 눈은 마치
이렇게 호소하는 듯했다.

'랠프, 당신이 어떻게 해
볼 수 없나요? 네?'

지미는 입술을 깨물고는
곧 알 수 없는 미소를 지었다.

"애너벨, 당신 가슴에 꽂혀
있는 장미를 나에게 주지 않

과연 지미가
애거서를 구하기 위해
나설까? 그랬다가는
금고 강도라는 게
들통 날 텐데.

들통이 나면
애너벨 양과 결혼을
하지 못할 텐데
나서겠어?

겠소?"

에너벨은 의아해하면서도 드레스 가슴에서 장미 송이를 떼어 지미의 손바닥에 놓았다. 지미는 장미를 조끼 주머니에 밀어넣더니 웃옷을 벗어던지고는 와이셔츠 소매도 걷어붙였다. 그는 이제 더 이상 랠프 스펜서가 아니었다. 지미 발렌타인으로 완전히 돌아간 것이었다.

"모두 금고 앞에서 비켜 주시오."

지미의 말에 모두들 금고실 문 앞에서 뒤로 물러섰다.

지미는 가방을 탁자 위에 올려놓고는 가방을 활짝 열어젖혔다. 탁자 위에는 이내 지미가 자랑스러워하던 연장들이 가지런히 놓여졌다. 지미는 이 일을 할 때마다 늘 그랬던 것처럼 가볍게 휘파람을 불고 있었다. 사람들은 마술에 걸린 것처럼 꼼짝도 하지 못하고 그의 동작을 뚫어져라 바라보았다.

곧 지미의 자랑거리였던 송곳이 강철 문을 뚫고 들어갔다. 10분 만에 빗장이 들어 올려짐과 동시에 금고실 문이 활짝 열렸다. 지금껏 가장 빠른 기록이었다. 애거서는 기운이 없어 보였지만 무사히 엄마 품에 안겼다.

지미 발렌타인은 다시 웃옷을 단정하게 입고는 은행 문 쪽으로 걸어갔다.

"랠프!"

애너벨의 목소리가 어렴풋이 들려왔다. 지미는 결코 뒤를 돌아보지 않았다. 문 앞에는 눈빛이 날카로운 사나이가 앞을 가로막고 있었다. 지미는 미소를 지었다.

"안녕하십니까? 드디어 절 찾으셨군요, 벤 형사님. 자, 갑시다. 이제 뭐 아무래도 좋습니다."

벤 프라이스 형사의 반응은 뜻밖이었다.

"무슨 말씀이십니까? 선생께서 사람을 잘못 보신 것 같군요."

벤 프라이스 형사는 몸을 돌려 천천히 은행 문을 나서 뚜벅뚜벅 거리를 걸어갔다.

4장
할렘의 비극

핑크 부인은 한 층 아래 살고 있는 캐시디 부인의 집에 들렀다.

"내 얼굴 좀 봐. 진짜 볼 만하지?"

캐시디 부인의 얼굴은 또 자줏빛으로 물들어 있었다.

친구 핑크 부인에게 얼굴을 가까이 갖다 대는 캐시디 부인의 몸짓과 말투에서는 마치 자랑스러운 듯 뻐기는 기색이 엿보였다.

한쪽 눈은 퉁퉁 부어 거의 감긴 상태였고 불그스름하게 자줏빛 멍이 들어 있었다. 입술은 터져 피가 배어 나왔으며, 양쪽 손목에도 무지막지한 힘으로 잡은 듯 손자국이 시커멓게 나 있었다.

"우리집 양반은 이런 짓은 엄두도 못 내, 애!"

핑크 부인의 말에 캐시디 부인이 선언이라도 하듯 또박
또박 말했다.

"나는 일주일이 넘도록 한 번도 두들겨 패
지 않는 남자는 싫어. 때린다는 건 상대방
을 사랑한다는 증거야."

폭력이 사랑의
증거라니? 폭력은 어떤
경우에도 용서될 수
없는 행위라고!

그 말에 핑크 부인이 가볍게 한숨을 내쉬
자 캐시디 부인은 신이 나서 말했다.

"자, 보라고! 아직도 눈에서 불꽃
이 튀는 것 같아. 그이는 틀림없
이 이번 주 내내 날 때린 보상을
하기 위해 세상에서 가장 다정한
남자가 될 거야. 최소한 영화표와 값비싼 실크
블라우스를 얻을 수 있을 거라고."

"우리 그이는 정말 점잖아서 나한테 한 번도 손찌검한
적이 없어. 정말 신사 아니니?"

핑크 부인이 자랑스러운 듯이 말하자 캐시디 부인은 상처에 약을 꼼꼼히 바르면서 비웃었다.

"바보 같은 소리 하지 마! 너 나한테 질투하는 거지? 그렇지? 네 남편은 언제나 냉정하고 용기가 없어. 집에 돌아오면 꿀 먹은 벙어리처럼 앉아서 신문新聞이나 읽겠지. 안 그러니?"

집에 돌아와 꿀 먹은 벙어리처럼 신문만 읽는다면 정말 재미없기는 하겠네!

핑크 부인은 고개를 끄덕이면서도 열심히 뭔가 변명하려 애썼다.

"물론 그이는 매일 열심히 신문을 읽어. 하지만 날 시합에 진 권투 선수처럼 상처투성이로 만들지는 않아. 그건 아주 훌륭한 점이라고 생각해."

그러나 캐시디 부인은 남편의 사랑을 듬뿍 받는 행복한 아내처럼 만족스러운 웃음

신문(新聞) : 사회에서 일어난 사건에 대한 사실이나 해설을 널리 신속하게 전달하기 위한 정기 간행물로 일간 · 주간 · 월간으로 발행하기도 함. 1609년 독일에서 처음 발행됐으며 우리나라에서는 1883년에 발행한 〈한성순보〉가 최초의 신문임.

을 흘렸다. 그러고는 옷을 들어올려 소중히 감춰 둔 보물이라도 되는 양 상처를 보여 주었다. 상처는 오래되어 아물었으나 가장자리가 희미하게 오렌지색과 올리브 빛깔로 물들어 있었다. 캐시디 부인은 그 상처에 깃든 추억을 구구절절句句節節 말해 주었다.

마침내 핑크 부인도 두 손을 들지 않을 수 없었다. 친구의 상처를 바라보는 그녀의 두 눈에 감탄과 부러움이 뒤섞인 기색이 감돌자 캐시디 부인은 의기양양하게 옷깃을 여몄다.

핑크 부인과 캐시디 부인은 1년 전 결혼할 때까지 시내에 있는 공장에서 일하던 단짝 친구였다. 지금도 서로 아래위층에 살면서 매일같이 얼굴을 맞대고 사는 사이였다. 핑크 부인은 그런 마당에 친구 앞에서 남편이 신사라고 뽐낼 수만은 없다고 마음을 다잡았다.

"맞을 때 아프지는 않아?"

구구절절(句句節節) : 말 한 마디 한 마디마다.

기다렸던 질문이 나왔다는 듯 캐시디 부인이 기쁨에 가득 찬 목소리로 환호성을 질렀다.

"아아, 그걸 뭐라고 해야 할까? 그래, 넌 벽돌집에 깔려 본 적 없니? 바로 그런 기분일 거야. 무너진 벽돌 더미 아래에서 끄집어내질 때의 그 기분 말이야. 그이의 왼손으로 맞으면 극장 입장권하고 구두 한 켤레가 생긴단다. 오른손! 오른손으로 맞으면 여기저기 구경도 시켜 주고, 실크 스타킹도 사다 준단다."

"그런데, 왜 널 때리는 거야?"

캐시디 부인이 세상에서 가장 바보 같은 질문이라는 듯 깔깔거리고 웃으며 대답했다.

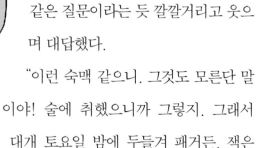

"이런 숙맥 같으니. 그것도 모른단 말이야! 술에 취했으니까 그렇지. 그래서 대개 토요일 밤에 두들겨 패거든. 잭은 곤드레만드레가 되어서 들어오고, 그이를 맞이할 사람이 아내인 나밖에 더 있

'숙맥'은 콩인지 보리인지를 구별하지 못한다는 뜻으로, 사리 분별을 못하고 세상 물정을 잘 모름을 이르는 '숙맥불변'에서 나온 말이야.

니? 그러니 그이가 두들겨 팰 사람이 나 말고 또 어디 있겠어? 만약 나 말고 다른 사람을 때리기만 해 봐라! 난 가만히 있지 않을 거야. 어떤 때는 저녁 식사를 차려 놓지 않았다고 때리고, 어떤 때는 저녁 식사를 벌써 차려 놓았다고 때리고. 잭이 때리는 이유는 별거 없어. 그냥 때리는 거지. 그래서 난 토요일 밤에는 미리 모서리가 뾰족한 가구를 치워 놓고 채비를 한단다. 한 방 얻어맞으면 온몸에 충격이 오지. 그렇지만 새 옷을 얻거나 그 주에 즐겁게 지내려면 다시 일어나서 맞아 주는 거야. 사실 어젯밤에도 그랬어. 전부터 찍어 놓은 검은색 실크 블라우스가 있었거든. 잭도 알고 있을 거야. 오늘 밤에 그이가 그 옷을 사 오는 건 불을 보듯 뻔해."

친구의 긴긴 설명을 듣고 핑크 부인은 골똘히 생각에 잠겼다가 입을 열었다.

"우리 그이는 한 번도 날 때린 적이 없어. 그래, 네 말 대로야. 그이는 집에 돌아와서는 입을 딱 다물고 신문이나 읽는단다. 결혼한 뒤 한 번도 나를 어디 데려가 주지도 않았어. 가끔씩 뭘 사 주기는 하지만 그럴 때도 별로 말도 하지 않고 뚱한 얼굴을 하고 있으니, 고마운 생각이 조금도 들지 않아."

캐시디 부인은 친구의 어깨를 감싸 안고 동정 섞인 목소리로 위로했다.

"아이고, 가엾은 내 친구! 잭 같은 남편은 정말 흔치 않단다. 세상의 모든 남편들이 잭을 닮아서 기개가 넘친다면 얼마나 좋을까."

핑크 부인은 한숨을 쉬었다. 그때 갑자기 복도에서 요란스러운 발소리가 들리더니 누군가 문을 뻥 차고 들어왔다. 두 팔 가득 선물 꾸러미를 안은 그는 캐시디 부인의 남편 잭이었다. 캐시디 부인은 냉큼 달려가서 그의 목에 매달렸다. 잭은 선물 꾸러미를 내던지고는 아내를 힘껏 끌어안아 높이 쳐들었다.

"내가 영화표를 사 왔어. 당신이 보고 싶어 하던 영화야. 그리고 봉투 안에 당신이 눈독 들이던 검은색 실크 블라우스가 들어 있으니까 꺼내 봐. 아, 핑크 부인이시군요.

안녕하십니까? 부군夫君께서도 잘 지내시지요?"

"네, 덕분에 잘 지내요."

핑크 부인은 짧게 대답을 하고는 위층 자기 집으로 올라왔다. 어쩐 까닭인지 눈물이 나왔다.

'왜 그이는 나를 두들겨 패 주지 않는 걸까? 그이는 캐시디 씨 못지않게 몸집도 크고 힘이 센데. 날 사랑하지 않아서일까? 생각해 보니 그이는 나랑 말다툼조차도 해 본 적이 없어. 성실하고 점잖긴 하지만, 역시 인생의 맛을 몰라서 그런 걸까?'

핑크 씨는
핑크 부인을 사랑하지
않는 게 아니라 진심으로
사랑하고 있는 거요.

그녀는 마치 상처 하나 입지 않고 무기력하게 경기를 하고 있는 권투 선수 같다는 생각이 들었다. 캐시디 부인이 미울 지경이었다. 야수 같지만 지극히 사랑해 주는 남편과 인생의 맛을 즐기고 있는 친구가 말이다.

부군(夫君) : 남의 남편을 높여 부르는 말.

핑크 씨는 매일 저녁 7시면 집으로 돌아왔다. 그는 일을 마친 뒤에 아늑한 가정을 두고 밖에서 헤매고 다닐 생각이 조금도 없었다. 늘 제시간에 맞춰 전차를 타고 집으로 돌아왔다. 그는 집 안에 들어서면 배불리 먹은 아나콘다나 쓰러진 자리에서 꼼짝도 하지 않는 커다란 나무같이 굴었다.

"여보, 지금 저녁 식사를 차릴까요?"

"으흠, 그렇게 하지."

시큰둥하게 대답하고는 저녁 식사를 마친 뒤에는 신문에서 눈을 떼지 않았다. 양말은 그대로 신은 채로 말이다. 그 모습을 보고 있자니 핑크 부인의 마음속에 이제껏 느껴 본 적 없었던 새로운 감정이 부글부글 끓어올랐다.

'아아, 양말을 신은 채 집구석에 처박혀 있는 남자는 지옥에나 떨어져라.'

이튿날은 노동절勞動節이었다. 핑크 씨와 캐시디 씨가

―――――――――――

노동절(勞動節) : 근로자의 노고를 위로하기 위한 휴일로 매년 5월 1일임.

하루를 푹 쉬어도 되는 날이었다. 핑크 부인은 아침 일찍 캐시디 부인의 집으로 내려갔다. 그녀의 친구는 검은색 실크 블라우스를 입고서 남편과 함께 공원에 소풍(逍風)을 갈 계획을 짜고 있었다. 멍이 든 캐시디 부인의 눈은 즐거운 소풍에 대한 기대로 빛을 내뿜고 있었다.

핑크 부인의 가슴에 분노와 질투의 불길이 활활 타올랐다. 늘 죽도록 얻어맞지만, 그 즉시 진통제가 생기는 행복한 친구에 비해 자신은 얼마나 숨 막히게 살고 있는가. 그녀는 자신의 남편도 잭 못지않게 아내를 행복하게 해 줄 수 있다는 것을 증명하고 싶은 욕망에 사로잡혔다.

핑크 씨네 집에서는 휴일도 여느 때처럼 그냥 그렇게 지나가고 있었다. 핑크 씨는 양말을 신은 채 신문을 들여다보고 있었다. 핑크 부인은 빨래통에 수북이 쌓인 빨래를 해야 했다. 빨래를 다 하고 나면 휴일도 이대로 지나가 버릴 것이었다.

소풍(逍風) : 휴식을 취하기 위해 야외에 나갔다 오는 일.

핑크 부인의 마음속에 질투의 파도가 높이 일었다. 이어 단호한 결의가 소용돌이쳤다. 남편이 하려고 하지 않는다면 자기가 먼저 나서서 그에게 남편으로서의 의무를 다하라고 채찍질할 수밖에 없는 것이다.

핑크 씨는 양말 속에서 발가락을 꼼지락거리며 담배 파이프에 불을 붙였다. 핑크 씨는 휴일, 설거지를 마친 아내가 빨래를 하느라 비눗물을 철벅거리는 소리를 들을 때면 마음이 평화로웠다.

조금 있으면 아내가 점심 식사를 준비할 시간이다. 그러면 부엌에서 풍겨 나오는 군침 도는 냄새가 코끝을 간질일 것이다. 아내가 "점심 드세요."라고 할 때까지 편안히 앉아 신문을 통해 세상의 소식을 알게 되는 이런 하루하루가 그에게는 더할 나위 없이 행복했다.

신문을 보면 그로서는 상상도 할 수 없는 일이 일어나고 있었다. 그 가운데서도 핑크 씨가 특히 상상도 못할 일은 아내를 두들겨 패는 일이었다. 그것보다 더 끔찍한 일은 없다고 생각했다.

핑크 부인은 뜨거운 물을 빨래통에 부은 뒤 빨래판을 비눗물 속에 집어넣었다. 아래층에서는 캐시디 부인의 즐거워 죽겠다는 듯한 웃음소리가 들려왔다. 그 웃음소리가 핑크 부인에게는 비웃음처럼 들렸다.

빨래를 빨래판에 비비려던 핑크 부인이 별안간 신문을 읽고 있는 남편에게 분노의 여신처럼 덤벼들었다.

"이 게을러 빠진 인간아! 당신처럼 지긋지긋한 인간을 위해 내가 왜 팔이 빠지도록 빨래나 하고 있어야 하냔 말이야? 당신은 뭐하는 사람이야? 집이나 지키는 개야? 그러고도 당신이 제대로 된 남자야?"

핑크 씨는 깜짝 놀라 읽던 신문을 떨어뜨리고 꼼짝 않고 앉아 있었다. 남편의 얼굴에 오직 어리둥절한 표정만이 떠오르는 것을 본 핑크 부인은 이 정도로는 남편이 자기를 때리지 않을 거라는 생각이 들었다. 더 과감한 도전이 필요했다.

"에잇!"

핑크 부인은 주먹을 꽉 움켜쥐고 남편의 얼굴을 힘껏

갈겼다. 그 순간 핑크 부인의 가슴속에 짜릿한 무엇인가가 샘솟았다.

'오오! 남편이 이제 곧 내게 애정의 한 방을 선사할 것이다.'

핑크 씨가 자리에서 일어나자 그녀는 다시 한 번 주먹을 날려 그의 턱에 명중시켰다.

핑크 부인은 두 눈을 꼭 감았다. 무섭기는 했지만 행복한 순간이었다. 이제 그녀는 난생처음으로 친구가 그토록 자랑했던 남편의 사랑이라는 것을 알게 될 것이었다. 그녀는 기대감에 몸을 떨며 남편 쪽으로 얼굴을 내밀었다.

아래층에서는 소풍 갈 준비를 하기 위해 캐시디 씨가 죄책감과 부끄러움이 뒤섞인 표정으로 화려하게 물든 아내의 눈두덩 위에 분을 발라 주고 있었다.

그때 위층에서 고함을 지르는 여자 목소리, 무언가 부딪치는 소리, 의자가 뒤집히는 소리가 들려왔다. 캐시디 부부는 귀를 쫑긋 세웠다.

"당신 친구 부부가 싸우는 모양이지? 절대 싸우지 않

을 부부처럼 보였는데 말이야. 올라가서 말려야 하나?"

캐시디 부인의 성한 한쪽 눈이 다이아몬드처럼 반짝반짝 빛났다. 얻어맞은 나머지 한쪽 눈도 모조(模造) 보석만큼은 빛났다.

"오오! 어쩌면 드디어? 여보, 당신은 여기서 기다려요. 내가 가서 보고 올게요."

그녀가 층계를 중간까지 뛰어올라 갔을 때였다. 핑크 부인이 허겁지겁 문밖으로 뛰어나왔다.

"드디어 너의 그이가 때린 거야? 응?"

핑크 부인은 흐느끼며 친구의 어깨에 얼굴을 파묻었다. 캐시디 부인은 친구를 부드럽게 토닥여 주고는 조심스럽게 두 손을 뻗어 핑크 부인의 얼굴을 들어올렸다. 주근깨가 적당히 섞여 있는 그 얼굴은 눈물로 범벅이 되고 흥분해 붉으락 푸르

핑크 씨가
더 이상 참지 못하고
부인에게 폭력을
행사했나 봐!

모조(模造) : 이미 있는 것을 그대로 따라하거나 본떠서 만듦. 또는 그런 것.

락했지만 긁힌 자국도 얻어맞은 상처도 없이 깨끗했다.

"어떻게 된 거야? 그이가 널 때렸어? 그이가 널 어떻게 한 거야? 말하지 않으면 내가 들어가서 따질 거야."

"아아, 제발 그 문 열지 마."

핑크 부인은 다시 친구의 어깨에 얼굴을 묻고는 흐느끼며 말했다.

"제발 부탁인데, 아무한테도 말하지 말아 줘. 그이는……, 그이는 날 때리지 않았어. 내 몸에 손끝 하나 대지 않았다고. 그이는……, 오, 맙소사! 그이는 지금 나대신 빨래를 하고 있어. 애, 빨래를 하고 있단 말이야!"

5장
붉은 추장의 몸값

어쩐지 술술 잘 풀린다 했어. 무슨 얘기냐고? 기다려
봐. 이제부터 얘기할 테니.

아무래도 우리가 도깨비에 홀렸던 모양이야. 처음에 그
계획을 생각해 냈을 때, 짭짤한 돈벌이가 될 거라고 잔뜩
들떠 있었으니 말이지.

아무튼 나와 빌 드리스콜이 앨라배마 주에 갔을 때의
일이야. 앨라배마 주에는 서밋이라는 이름의 읍이 하나
있어. 그저 어디서나 흔히 볼 수 있는 한가롭고 평화로운
농촌 마을이더라고. 마을 사람들도 여느 농부들처럼 순박
해 보였어.

그 무렵 빌과 나는 서부 일리노이 주로 가 부동산 사기로 크게 한몫 챙길 꿈에 부풀어 있었지. 그런데 빌과 내가 가진 돈은 둘이 합쳐 봐야 600달러가 고작이었어. 사기 밑천으로는 턱도 없는 금액이었지. 2000달러 정도는 더 필요했어.

우리는 모자라는 2000달러를 손에 넣을 수 있는 방법을 찾기 위해 머리를 굴렸어. 그러다 아이를 유괴하자는 데 의견 일치를 본 거야. 시골 마을이 유괴 사건을 벌이기에 안성맞춤인 곳으로 보였거든.

시골 사람들이 도시 사람들보다 자식에 대한 애착심이 유별날 것 같았지. 빌과 나는 기발한 우리의 생각에 손뼉을 치며 좋아했어.

"기껏해야 귀가 축 늘어진 경찰견 몇 마리를 거느린 시골뜨기 순경이나 쫓아오겠지?"

"아마 신문에도 나지 않을걸? 이 마을 사람들만 보는 '우리 마을 농민 신문'이라면 또 모를까."

유괴할 아이를 찾아나선 우리는 이 마을에서 꽤 부자라

고 알려진 에버니저 도셋 영감의 외아들을 점찍었어. 이제 열 살이 된 꼬마 녀석은 주근깨투성이에 머리카락은 불타는 붉은색이었어.

도셋 영감은 인색하기로 소문난 사람으로 고리대금업高利貸金業을 하고 있더군. 교회에 땡전 한 푼 헌금을 한 적이 없으며, 돈을 빌리기 위해 저당 잡힌 물건은 돈을 갚기로 한 날짜를 넘기면 사정없이 처분해 버리는 인정사정없는 노랑이였어.

아무리 인색한 사람이라고 해도 자식이 유괴되면 군말 없이 돈을 내놓겠지?

이런 작자라면 분명 감춰 둔 돈이 많을 테니, 2000달러 정도는 군말 없이 내줄 것 같았지. 그래서 어떻게 됐냐고? 아, 기다리라고, 지금부터 자세히 얘기해 줄 테니.

서밋 읍에서 조금 떨어진 야트막한 산에는 울창한 삼나

고리대금업(高利貸金業) : 부당하게 비싼 이자를 받는 돈놀이를 하는 사업.

무 숲이 있다. 그 산 뒤쪽 으슥한 곳에는 작은 동굴이 하나 있는데 우리는 그 동굴에 식량을 비축(備蓄)해 두고 때를 기다렸다.

어느 날 저녁 해가 저문 뒤였다. 우리는 말 한 마리가 끄는 마차를 빌려 타고 도셋 영감의 집 앞을 지나갔다. 마침 그 꼬마 녀석이 집 앞에서 맞은편 울타리 위에 앉아 있는 새끼 고양이에게 돌멩이를 던지며 놀고 있었다.

꼬마 녀석이 보통 장난꾸러기가 아닌가 봐!

"어이, 꼬마야! 아저씨들이랑 같이 놀지 않을래? 우리는 달콤한 과자와 사탕도 많이 갖고 있다고."

빌이 말을 건네자 꼬마 녀석은 다짜고짜 벽돌을 던져 빌의 눈가를 정통으로 맞혔다.

"이 녀석이 나를 이 꼴로 만들었으니, 그 영감탱이에게

비축(備蓄) : 만약의 경우를 대비하여 미리 갖추어 모아 두거나 저축함.

500달러를 더 받아 내야겠어.”

빌은 꼬마 녀석을 옆구리에 끼고 억지로 마차에 태우면서 중얼거렸다.

“놔! 놓으란 말이야!”

꼬마 녀석은 소리를 지르며 사나운 짐승처럼 날뛰었다. 우리는 꼬마를 마차 의자 밑바닥에 밀어 넣고서야 간신히 삼나무 숲까지 마차를 몰 수 있었다.

내가 빌린 마차를 돌려주고 동굴로 와 보니, 빌은 온통 긁히고 상처가 난 얼굴에 반창고를 더덕더덕 붙이고 있었다. 동굴 입구의 커다란 바위 뒤에는 모닥불이 피워져 있었고, 붉은 머리털 속에 새의 꼬리 깃털을 꽂아 넣은 꼬마는 아무 일도 없었다는 듯 끓고 있는 커피 주전자를 말똥말똥 지켜보고 있었다.

내가 가까이 다가가자 꼬마가 소리쳤다.

“야, 이 못된 백인 녀석아! 네 녀석이 감히 공포의 붉은 추장의 땅에 들어오고도 무사할 줄 아느냐?”

나와 눈이 마주친 빌이 어깨를 으쓱했다.

"우린 지금 인디언 놀이를 하고 있는 중이거든. 보다시피 나는 위대한 붉은 추장에게 사로잡힌 포로 신세야. 나는 덫을 놓아 짐승을 잡는 사냥꾼 올드 행크인데, 붉은 추장께서 내일 새벽에 내 머리 가죽을 벗긴대. 맙소사, 무서워 죽겠어."

빌은 정말로 벌벌 떨리는 손으로 바지를 걷어 올려 시퍼렇게 멍이 든 정강이를 보여 주었다. 붉은 추장에게 걷어 차였다는 것이다.

꼬마는 신바람이 나 있었다. 녀석은 자기가 유괴되었다는 것도 까맣게 잊었는지, 동굴 주변을 싸돌아다니며 인디언 놀이에 완전히 빠졌다.

녀석은 내게 '스파이 뱀눈'이라는 이름을 지어 주고는 싸움터에서 자기 부하들이 돌아오면 내일 해 뜰 무렵 나를 말뚝에 매달아 불태워 죽이겠다고 선언했다.

저녁을 먹을 때도 꼬마는 볼때기가 터지도록 빵과 베이컨을 잔뜩 쑤셔 넣은 채로 계속 지껄여 댔다. 그 이야기는 대충 이런 내용이었다.

"이거 정말 재미있는걸. 난 야영野쑴은 처음이야. 그렇지만 주머니쥐를 잡아서 길러 본 적은 있어. 그리고 난 아홉 살이야. 난 학교 가는 건 정말이지 너무 싫어.

지미 탤보트 아주머니네 암탉이 낳은 달걀을 쥐가 여섯 개나 먹어 버렸대. 이 숲 속에 진짜 인디언이 있어? 고기 국물이 아주 맛있네. 더 줘. 바람은 나무들이 흔들려서 부는 거야? 우리 집에는 강아지가 다섯 마리나 있었어. 그런데 올드 행크, 네 코는 왜 그렇게 빨간 거야? 우리 아빠는 무지무지 부자야. 앗, 뜨거워. 별들도 뜨거운가?

난 툭하면 울어 대는 여자애들이 싫어. 두꺼비를 옷 속에 넣었다고 운다니까. 내 침대는 어디에 있어? 우리 반 에이머스는 발가락이 여섯 개야. 앵무새는 말할 줄 아는데 원숭이나 물고기는 왜 말할 줄 모르지? 이봐, 몇 더하기 몇을 해야 열둘이 되는 줄 알아?"

꼬마 녀석은 쉬지 않고 말하면서도 몇 분마다 자기가

야영(野쑴) : 휴양이나 훈련을 목적으로 야외에 천막을 처놓고 하는 생활.

인디언이라는 것을 기억해 내고는 막대기 총을 들고 살금살금 동굴 입구로 걸어가 못된 백인들이 오지는 않는지 살펴보았다.

붉은 추장은 세상에 둘도 없는 악동이야. 빌과 샘의 계획이 성공할까?

"아아아!"

꼬마 녀석이 나름의 인디언식으로 함성을 질러 댈 때마다 사냥꾼 올드 행크는 움찔움찔 놀랐다.

"붉은 추장!"

내가 꼬마에게 물었다.

"집에 가고 싶지 않니?"

붉은 추장은 고개를 흔들었다.

"아니, 전혀! 집에서는 재미가 하나도 없어. 그리고 학교 가는 것도 싫거든. 나는 여기서 이렇게 야영하며 지내는 게 좋아. 뱀눈, 설마 나를 집으로 돌려보내려는 건 아니겠지?"

"지금 당장은 아니야. 우리랑 좀 더 여기서 지내도 돼."

꼬마는 내 말에 만족했는지 다시 동굴 안을 신바람 나게 뛰어다녔다.

11시쯤 우리는 자리에 누웠다. 널찍한 담요를 펼치고 그 위에 꼬마를 눕힌 다음, 양 옆에 우리가 눕기로 했다. 꼬마가 도망갈 염려는 전혀 없어 보였지만 그 정도 조치措置는 취해야 할 것 같았다.

"쉬잇! 조용히 해!"

우리는 3시간 동안이나 잠을 이루지 못했다. 꼬마가 툭 하면 빽빽 소리를 질러 댔기 때문이다. 나뭇잎이 바스락거리는 소리만 나도 꼬마는 무법자들이 쳐들어온다고 막대기 총을 들고 벌떡 일어났다. 가까스로 잠이 들었을 때, 나는 붉은 머리털을 가진 해적에게 납치되어 기둥에 꽁꽁 묶이는 꿈을 꾸었다.

"꺄아아아악!"

새벽녘에 나는 끔찍한 비명 소리에 잠에서 깼다. 그것

조치(措置) : 벌어지는 사태를 잘 살펴서 필요한 대책을 세움.

혼히 쐐기벌레라고
하는 안타깨비쐐기는
쐐기나방의 애벌레야.
몸에 독침을 지닌
돌기가 있어.

파닥,파닥

은 울부짖는 소리도, 외치는 소리도, 우는 소리도 아닌 이상한 소리였다. 여자들이 풀잎에 붙어 있는 쐐기벌레를 보았을 때 내지르는 비명과 비슷했다. 그 소리는 빌의 목구멍에서 나온 소리였다. 덩치 큰 건장健壯한 남자의 입에서는 좀처럼 나오기 힘든 소리였다.

붉은 추장이 빌의 가슴패기에 올라타고 앉아서는 한 손으로 빌의 머리칼을 움켜쥐고 있었다. 다른 손에는 주머니칼이 들려 있었다. 나는 꼬마의 손에서 얼른 칼을 빼앗고 다시 자리에 뉘였다. 녀석은 아마도 올드 행크의 머리 가죽이라도 벗기려 했던 모양이었다.

혼쭐이 빠진 빌은 절대로 다시 자려고 하지 않았다. 꼬마 녀석이 곁에 있는 동안에는 절대로 눈을 감지 않을 것

건장(健壯) : 몸이 튼튼하고 기운이 셈.

같았다. 꾸벅꾸벅 졸던 나는 동이 트기 전에 완전히 잠에서 깼다. 겁을 먹은 것은 아니었지만 해가 뜰 무렵 나를 불태워 버리겠다던 붉은 추장의 말이 떠올랐던 것이다. 내가 담배 파이프를 물고 바위에 몸을 기대자 빌이 나를 빤히 바라보며 물었다.

"샘, 왜 이렇게 일찍 일어난 건가?

"그저 어깨가 좀 뻐근해서 그런다네."

내 말에 빌은 입을 실룩거렸다.

"거짓말 말게. 동이 트면 저 꼬마 녀석이 자네를 불태워 죽일까 봐 겁이 나서 그런 거지? 성냥만 구할 수 있다면, 정말 그러고도 남을 녀석이네. 샘, 정말 저런 끔찍한 녀석을 되찾으려고 돈을 내놓을까?"

"물론이네. 저런 개구쟁이일수록 부모한테는 더 사랑받는 법이지. 자, 나는 나가서 분위기를 좀 살피고 올 테니 그동안 아침밥을 준비해 놓게."

나는 산꼭대기에 올라가 주위를 둘러보았다. 나는 마을 사람들이 유괴범을 찾으려고 이곳저곳을 바삐 뛰어다니고 있을 거라고 생각하고 있었다.

그런데 눈에 들어오는 거라곤 황소를 몰아 느릿느릿 밭을 가는 농부만 보일 뿐 다른 사람들의 모습은 보이지도 않았다. 다른 날과 조금도 다를 바 없는 이른 아침의 평화로운 농촌 풍경이었다.

'음, 아이가 유괴된 걸 아직 모르는 모양이군.'

천천히 산에서 내려와 동굴로 돌아와 보니 구석에 몰린 빌이 공포에 질려 숨을 헐떡이고 있었다. 꼬마가 그 앞에서 어린애 머리통만 한 돌을 들고 으르렁대는 중이었다.

"이 녀석이 내 등에 시뻘겋게 달궈진 감자를 집어넣었어. 그리고 발로 차서 으깨 버렸다고. 그래서 귀싸대기를 갈겨 줬지. 샘, 총 갖고 있지? 이리 줘!"

나는 꼬마에게서 간신히 돌을 빼앗고 빌을 진정시켰다. 꼬마는 빌을 쏘아보며 소리쳤다.

"어디 두고 봐! 붉은 추장을 때린 놈은 가만 안 둘 거야."

아침을 먹은 뒤 꼬마는 주머니에 손을 넣고 뭔가를 만지작거리면서 동굴 밖으로 나갔다. 빌의 겁먹은 시선이 녀석의 뒤를 쫓았다.

"이봐, 빌. 꼬마 녀석에겐 그만 신경 쓰고 우리 계획이
나 세우자고. 사람들이 아직 녀석이 유괴된 걸 모르는 것
같아. 그래도 오늘 중으로는 알게 되겠지. 그러니 우리는
오늘 저녁에 저 녀석 아버지에게 편지를 보내 2000달러
와 녀석을 교환하자고 협박해야겠어."

그때였다. 다윗이 골리앗을 쓰러뜨릴 때 내질렀을 법한
인디언의 함성이 들려왔다. 이어 눈 깜짝할 사이
쿵 하는 소리와 함께 쓰러진 말이 내쉬
는 것 같은 신음 소리가 빌의 입에서
새어 나왔다. 빌은 달걀만 한 돌에 머
리를 정통으로 맞고, 뜨거운 물이 담
긴 냄비에 처박혀 버렸다. 나는 1시간 동
안이나 빌의 머리에 찬물을 끼얹어야 했다.

"샘, 자네는 내가 성경에서 가장 좋아하는
인물이 누군지 아나? 바로 헤롯 왕이야!"

나는 거의 울먹이는 빌을 진정시킨 뒤 꼬

유대의 왕인 헤롯 왕은
그리스도의 탄생을 두려워해
베들레헴의 두 살 이하의 어린아이를
모조리 죽였어. 그래서 빌이
헤롯 왕을 가장 좋아하는
인물이라고 한 거야.

마 녀석을 붙들고 호통을 쳤다.

"얌전하게 굴지 않으면, 지금 당장 집으로 보내 버릴 거야! 응?"

내가 으름장을 놓자 녀석은 시무룩해져서 대답했다.

"난 그냥 장난으로 그런 건데. 뱀눈, 나도 올드 행크를 해칠 생각은 없었어. 앞으로는 얌전하게 굴게. 그렇지만 대신에 오늘 밤에 '블랙 스카웃' 놀이를 해 줘야 해."

"그게 무슨 놀이인지 나는 몰라. 빌 아저씨가 너랑 놀아 줄 거야. 나는 가 볼 데가 있어. 자, 이제 빌 아저씨한테 미안하다고 사과(謝過)해. 안 그러면 당장 집으로 쫓아 버릴 테니까."

나는 꼬마하고 빌을 악수시켰다. 그러고는 빌에게 혹시 경찰이 냄새를 맡았는지 마을에 가서 알아보고, 도셋 영감에게 보낼 협박 편지를 부치고 오겠다는 계획을 말했다. 내 말에 빌은 펄쩍 뛰었다.

사과(謝過) : 자기의 잘못을 인정하고 용서를 빎.

"이봐, 샘. 자네도 알다시피 난 지진이 나건, 화재가 나건, 홍수가 나건 겁을 낸 적이 없네. 경찰을 습격하고, 열차 강도를 할 때도 자네를 도왔지. 그런데 저 폭죽 같은 꼬마 녀석한테는 두 손 두 발 다 들었네. 샘, 나를 저 녀석과 단둘이 남겨 두지는 않겠지?"

"오후에는 꼭 돌아올 테니 그때까지만 저 녀석과 함께 있어 주게. 저 녀석을 마을에 데려갈 수는 없잖은가."

빌은 고개를 끄덕였다. 우리는 머리를 맞대고 도셋 영감에게 보낼 협박 편지를 썼다. 그러는 동안 붉은 추장은 몸에 담요를 둘둘 말고서 혼자서 동굴 입구를 왔다 갔다 했다.

빌이 꼬마를 힐끔거리면서 말했다.

나도 도셋 영감이 2000달러를 내놓지 않을 거라는 데 한 표!

"내가 부모의 자식을 향한 사랑이라는 도덕적 측면을 의심해서 이런 말을 하는 건 아니야. 그렇지만 아무래도 저 녀석에게 2000달러를 내지는 않을 것 같네. 그러니 1500달러만 받겠다고 쓰는 게 좋을 것 같

아. 500달러는 내 몫에서 빼도 좋아."

빌이 눈물까지 글썽이며 말하는 바람에 나는 기꺼이 그의 말대로 협박 편지를 썼다.

에버니저 도셋 귀하

우리가 당신 아들을 데리고 있소. 아들을 찾으려고 경찰에 신고하거나 탐정을 고용해도 아무 소용이 없을 것이오. 아들을 되찾고 싶으면 1500달러를 준비하시오. 그 돈을 오늘 밤 12시 정각에 우리가 원하는 장소에 갖다 놓으시오.

포플라 그로브로 가는 길에 있는 까마귀 계곡을 건너면 오른쪽 밀밭 울타리 가까이에 세 그루 나무가 서 있소. 그 세 번째 나무 아래에 작은 마분지 상자가 있을 것이오. 준비한 돈을 그 상자에 넣는 즉시 그곳을 떠나시오.

우리의 요구 조건을 승낙한다면 회답回答을 적어 오늘

회답(回答) : 물음이나 편지 따위에 반응함. 또는 그 반응.

밤 8시 30분까지 마분지 상자에 넣어 두시오.

　만약 경찰에 알린다거나 우리를 속인다면 두 번 다시 아들을 볼 수 없을 줄 아시오. 우리가 요구한 돈을 지불하면 3시간 안에 아들을 무사히 돌려 보내겠소. 이 편지가 최후 통첩通牒임을 명심하시오.

두 무법자로부터

　내가 편지를 주머니에 넣고 일어서자 꼬마 녀석이 내게 다가왔다.

　"뱀눈 아저씨, 아저씨 없는 동안에 올드 행크랑 '블랙 스카웃' 놀이를 해도 된다고 했지?"

　"그래라. 그런데 그게 대체 어떤 놀이지?"

　"내가 블랙 스카웃이 되고, 올드 행크가 말이 되어 개척지 마을까지 가는 거야. 가서 인디언들이 쳐들어온다는 걸 알려 줘야 해. 인디언 추장은 이제 싫증이 났어. 난 블

통첩(通牒) : 문서로 알림. 또는 그 문서.

랙 스카웃이 되고 싶단 말이야."

"나한테 뭘하라고?"

빌이 수상쩍다는 듯이 꼬마 녀석을 쳐다보았다.

"빌, 마음을 느긋하게 먹도록 해. 이제 곧 우리가 원하는 돈이 손에 들어올 테니 꼬마가 원하는 대로 해 주라고. 편지만 부치고 곧 돌아올게."

그리하여 빌은 말 노릇을 하기 위해서 손과 무릎을 바닥에 대고 엎드렸다. 그러고 있는 빌의 눈을 보니 꼭 덫에 걸린 토끼 같았다. 블랙 스카웃은 빌의 등에 훌쩍 올라타더니 발꿈치로 빌의 옆구리를 걷어찼다.

"이랴! 부지런히 달려라. 개척지까지는 10킬로미터나 된단 말이야. 빨리 달려야 한다고."

빌이 아이를 유괴한 벌을 톡톡히 받고 있군.

"제발, 샘. 빨리 돌아와 주게. 아아, 몸값을 너무 높게 쓴 것 같아. 1000달러로 쓰는 건데. 아얏, 이 녀석아! 계속 걷어차면 일어나서 흠씬 때려 줄 거야."

나는 일단 포플라 그로브까지 걸어가서 우체국 계단에 걸터앉았다. 사람이 자주 드나드는 그곳이 소식을 듣기에는 안성맞춤이었던 것이다. 곧 나는 서밋에서 도셋 영감의 아들이 사라져서 난리가 났다는 이야기를 들을 수 있었다.

나는 사람들이 눈치채지 못하도록 우체통에 편지를 슬쩍 집어넣고 그곳을 빠져나왔다. 우편집배원이 1시간 안에 서밋 읍으로 편지를 가져간다고 했다. 곧 편지가 전달될 것이었다.

동굴로 돌아와 보니 빌과 꼬마가 보이지 않았다. 동굴 근처를 뒤져 봐도 찾을 수 없었다. 요들송 한 곡조를 뽑아불러도 아무 기척이 없었다. 나는 파이프를 입에 물고서 기다리는 수밖에 없었다.

30분쯤 지났을 때였다. 땀투성이가 된 빌이 비틀거리며 걸어왔다. 조금 뒤에 떨어져 있는 덤불이 묘하게 바스락거리며 움직이고 있었다. 빌은 손수건을 꺼내 얼굴을 닦았다.

"샘. 어쩔 도리가 없었어. 나를 배신자라고 생각하지 말게. 꼬마 녀석은 집으로 돌아갔네. 내가 보내 버렸어. 순교殉教한 성인들도 나처럼 지독한 고통은 받아 본 적이 없을 걸세. 나도 우리가 약탈한 물건을 잘 지키려 했지만 참는 데도 한계가 있는 법이야."

"무슨 일이 있었던 건가?"

"꼬마 녀석을 태우고 에누리 없이 10킬로미터를 달렸네. 그러고 나자 녀석이 말에게 귀리를 준

얼마나 참기 힘들었으면 유괴한 아이를 돌려보냈을까?

답시고 내게 모래를 주더군. 내가 그걸 먹을 수가 있어야지. 그러고 나서도 1시간 동안 나는 녀석에게 풀이 왜 초록색인지, 길이 왜 두 갈래로 갈라져 있는지 일일이 설명을 해 줘야만 했네. 정말이지 참는 데도 한계가 있는 법이야. 이해

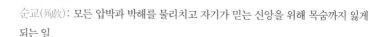

순교(殉教): 모든 압박과 박해를 물리치고 자기가 믿는 신앙을 위해 목숨까지 잃게 되는 일.

하지, 샘? 난 녀석의 목덜미를 잡아끌어 산 밑까지 끌고 갔네. 그러는 동안 어찌나 녀석에게 걸어 차였는지, 정강 이에 온통 멍이 들었다네. 그 녀석이 손까지 물어 뜯어서 지금도 얼얼해."

"……."

"아무튼 이제 그 꼬마 녀석은 없어. 난 녀석에게 서밋 으로 가는 길을 가르쳐 주고 발로 걸어차 쫓아 버렸다네. 몸값이 없어진 건 억울하지만 그렇게라도 하지 않았으면 이 빌 드리스콜은 정신 병원에 들어가야 할 판이라네. 듣 고 있나, 자네?"

빌은 거칠게 숨을 몰아쉬고 있었지만 그의 얼굴에는 어 젯밤 이후로 사라져 버린 안도감과 깊은 평화가 감돌고 있었다.

"빌?"

나는 최대한 부드럽게 물었다.

"자네 집안에 혹시 심장병으로 죽은 사람은 없나?"

"없어. 말라리아를 앓거나 사고로 죽은 사람은 있어도.

갑자기 그건 왜 묻는 건가?"

"자네에게 이런 말하기는 그렇지만 뒤를 한 번 돌아보게나."

빌은 몸을 돌려 뒤를 보더니 땅바닥에 털썩 주저앉았다. 우거진 덤불 앞에 집으로 쫓아 보냈다던 꼬마 녀석이 서 있었던 것이다. 빌의 뒤를 따라온 꼬마 녀석은 아까부터 거기 서 있었다.

빌이 붉은 추장이 다시 돌아온 걸 보고 귀신을 본 것보다 더 놀랐을 것 같아!

빌이 1시간 가량이나 말없이 풀이며 잔가지를 쥐어뜯는 바람에 나는 빌의 정신이 이상해진 건 아닌지 걱정스러웠다. 내가 오늘 밤에는 도셋 영감에게 몸값을 받아서 이곳을 떠날 수 있을 거라고 말해 주자 빌은 기운을 되찾았다. 기분이 좋아져서 꼬마 녀석에게 병정 놀이를 같이 해 주겠다고 약속까지 했다.

나는 절대 붙들리지 않고 몸값을 받아 낼 자신이 있었다. 돈을 갖다 놓기로 한 곳은 사방이 탁 트인 들판 한가운데였다. 경찰이 다가오면 멀리서도 한눈에 알아챌 수 있는 곳이었다.

나는 8시 30분이 되기 전에 나무 위로 올라가 숨을 죽이고 기다렸다. 8시 30분 정각이 되자 심부름꾼 소년이 자전거를 타고 나타나 상자 속에 편지를 넣고 갔다.

나는 한참을 더 기다렸다가 안전하다고 생각됐을 때 나무 아래로 내려와 상자에서 편지를 꺼내 동굴로 돌아왔다. 나는 빌 옆에서 편지를 소리 내어 읽었다.

두 무법자 귀하

귀하의 편지를 잘 받았소이다. 나는 당신들이 무리無理한 요구를 하고 있다고 말씀드리고 싶군요. 그래서 내 요구 조건을 제시하겠소. 당신들은 내 요구를 받아들일 수밖에 없을 것이오. 귀하께서 내게 현금 250달러를 준다면 내 자식을 넘겨받는 데 동의하겠소.

무리(無理) : 도리나 이치에 맞지 않거나 정도에서 지나치게 벗어남.

추신追伸

　아무래도 한밤중에 오시는 게 좋겠소. 우리 마을 사람들은 그 애가 유괴를 당한 걸 모두 알고 있소. 만일 당신들이 조니를 데려오는 것을 마을 사람들이 보게 되면 무슨 짓을 할지 나로서는 책임질 수 없기 때문이오.

에버니저 도셋

　"이런 날강도 같은 영감이 다 있나. 뻔뻔스럽기 짝이 없군."

　나는 화를 내려다 빌의 표정을 흘깃 보고 입을 다물었다. 빌의 두 눈에 애절한 표정이 감돌고 있었기 때문이다.

　"샘, 따지고 보면 250달러가 뭐 그리 큰돈도 아니잖나? 이 꼬마 녀석이랑 하룻밤을 더 같이 잤다간 난 정말로 정신 병원에 가게 될 것 같아. 도셋 영감은 아주 신사적이고

추신(追伸) : 뒤에 덧붙여 말한다는 뜻으로, 편지의 끝에 더 쓰고 싶은 것이 있을 때에 그 앞에 쓰는 말.

관대한 사람이로군. 겨우 250달러에 이런 기회를 주시다
니 말이야. 자네도 그렇게 생각하지 않나, 응?"

"사실은 나도 지쳤네. 그렇게 하도록 하세. 나도 아주
두 손 두 발 다 들었다네."

그렇게 해서 우리는 꼬마 녀석을 집에 데려다 준 다음
에 도망치기로 했다. 우리는 녀석의 아버지가 선물로 총
과 가죽 신발을 사 놓았으며, 그것을 가지고 내일 함께 곰
사냥을 가자고 녀석을 속여서 겨우 녀석이 제 발로 걷게
할 수 있었다.

우리는 밤 12시 정각에 도셋 영감의 집 문
을 두드렸다. 지금쯤이면 상자에서 2500달
러, 혹은 2000달러, 혹은 1500달러를 꺼내
들어야 할 시간에 빌은 250달러를 착착 세어
영감에게 건네주고 있었다.

깜찍한 꼬마 녀석은 우리가 자기를 집에
남겨 두고 가려 한다는 것을 눈치채고는
거머리처럼 빌의 다리에 매달렸다.

"안 돼! 나도 데리고 가! 곰 사냥 갈 거야!"

도셋 영감은 별다른 말도 없이 빽빽 소리를 지르는 녀석의 팔다리를 빌의 다리에서 하나씩 떼어 냈다. 빌은 존경스럽다는 눈빛으로 그를 바라보았다.

"꼬마를 얼마 동안 붙잡고 계실 수 있겠습니까?

"옛날만큼 힘이 없어서요. 10분쯤 될까요."

"그 정도면 충분합니다. 그 시간이면 난 캐나다 국경까지라도 갈 수 있습니다!"

몸이 뚱뚱한 빌은 달리기에 소질素質이 없었다. 게다가 어둠 속이라 달리기 힘들었음에도 나는 1시간 이상을 달려서야 그를 따라잡을 수 있었다.

소질(素質) : 본디부터 가지고 있는 성질. 또는 타고난 능력이나 기질.

6장
20년 뒤

20년 전의 약속

경찰관 한 사람이 으스대며 순찰을 돌고 있었다. 으스대는 품이 거드름을 피우는 것처럼 보였지만 그저 버릇일 뿐이었다. 큰길에는 사람 그림자조차 보이지 않아 사실 거드름을 피운다 해도 누가 봐 줄 사람도 없었다.

아직 밤 10시도 채 되지 않았는데 잔뜩 비를 머금은 찬 바람이 세차게 불어서인지 거리에는 인적人跡이 끊긴 지 오래였다.

인적(人跡) : 사람의 발자취. 또는 사람의 왕래.

경찰관은 능숙한 솜씨로 경찰봉을 빙글빙글 휘두르면서 이따금씩 고개를 돌려 거리와 건물들을 유심히 살폈다. 다부진 체격에 의젓해 보이는 생김새는 시민의 안전을 책임지는 경찰관의 모범이 될 만했다.

이 지역은 사무실이 많아 아침에는 사람들의 왕래가 잦지만 모두 퇴근을 하고 나면 해가 지기가 무섭게 어두컴컴하고 조용했다. 담배 가게나 밤새 문을 여는 노점 식당의 등불만이 깜박였다.

이번 이야기는 어떤 이야기일까? 정말 궁금하다!

어느 거리에 들어선 경찰관이 갑자기 걸음을 늦추었다. 컴컴한 철물점 앞에 한 사나이가 불도 붙이지 않은 담배를 물고 벽에 기대서 있었다. 경찰관이 가까이 다가가자 사나이가 먼저 말을 건넸다.

"염려 마십시오, 경찰관님."

사나이는 경찰관을 안심시키려는 듯 서둘러 말했다.

"저는 지금 친구를 기다리고 있을 뿐입니다. 20년 전에 약속을 했거든요. 좀 이상하게 들리시겠지만 제 말이 거짓말인지 의심스러우시다면 사정을 말씀드리지요. 20년 전에는 지금 이 철물점 자리에 식당이 있었습니다. '빅 조우 브레디 식당'이라고……."

"5년 전만 해도 이 자리에 있었어요."

경찰관이 말했다.

"그런데 헐려 버렸습니다."

경찰관은 사나이의 얼굴에서 눈을 떼지 않은 채 짧게 덧붙였다.

사나이는 성냥을 그어 담배에 불을 붙였다. 성냥 불빛에 사나이의 생김새가 한눈에 드러났다. 각이 진 네모난 턱에 눈매가 날카로웠다. 얼굴은 핏기가 없어 창백했고 오른쪽 눈썹 옆에는 희미하지만 작은 칼자국이 있었다. 넥타이핀에 박힌 독특(獨特)한 장식의 큼지막한 다이아몬드가 성냥 불빛에 반짝거렸다.

───────────────

독특(獨特) : 특별하게 다름. 또는 다른 것과 견줄 수 없을 정도로 뛰어남.

"꼭 20년 전 오늘 밤……."

사나이는 성냥불을 후 불어 끈 뒤 말을 이었다.

"나는 빅 조우 브레디 식당에서 지미 웰스와 함께 저녁
을 먹었습니다. 지미는 나와 제일 친한 친구였습니다. 정
말 좋은 녀석이었지요. 지미와 나는 이 뉴욕에
서 함께 자랐습니다. 마치 한 형제처럼 말
입니다.

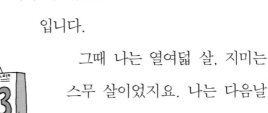

지미라는 친구는
20년 전의 약속을
잊지 않고 기억하고
있을까?

그때 나는 열여덟 살, 지미는
스무 살이었지요. 나는 다음날
서부로 떠날 예정이었습니다. 나
도 한 밑천 잡고 싶었거든요.

지미와 함께 떠나고 싶었지만 지
미는 무슨 일이 있어도 뉴욕을 떠나
지 않겠다고 하더군요. 지미는 이 세상에 뉴욕보다 살기
좋은 곳은 없다는 거예요. 그래서 그날 밤 우리는 약속을
했습니다. 꼭 20년 뒤에 바로 이 자리에서 다시 만나자는
약속이었죠.

우리가 어떤 처지에 있든, 또 아무리 먼 곳에 있을지라도 반드시 여기서 만나자는 약속이었습니다. 그때 우리는 20년 뒤면 우리 두 사람도 어느 정도 성공했을 것이고, 운이 틔어서 재산도 꽤 모으지 않았을까 하고 상상하며 즐거워하기도 했습니다."

"거참, 이야기가 재미있습니다."

경찰관이 말했다.

"하지만 20년이면 너무 긴 세월 아닙니까? 그래, 헤어진 뒤에 그 친구와 연락連絡은 주고받았소?"

"물론입니다. 서로 한동안은 꽤 자주 편지를 주고받았습니다."

사나이는 말했다.

"그러다 일, 이 년이 지나면서 소식이 끊어지고 말았어요. 잘 아시다시피 서부는 엄청나게 큰 곳 아닙니까? 이것저것 일거리도 많고요. 나는 돈벌이를 위해 바쁘게 뛰

연락(連絡) : 어떤 사실을 상대편에게 알림.

지미라는 친구가 약속을 잊지 않고 꼭 왔으면 좋겠다!

어다녀야 했습니다.

그렇지만 지미는 반드시 오늘 밤 나를 만나러 이곳에 올 겁니다. 그 친구가 죽지 않았다면 말입니다. 지미는 정말 고지식할 정도로 정직한 사람이거든요. 약속을 잊었을 리가 없습니다.

나는 오늘 밤 그 친구와의 약속을 지키려고 1600킬로미터나 달려왔어요. 하지만 옛날 그 다정했던 친구가 나타나 주기만 한다면 1600킬로미터를 달려온 보람이 있지 않겠습니까?"

친구의 편지

옛 친구를 기다리는 사나이는 고급스러운 회중시계懷中時計를 꺼냈다. 시계 뚜껑에도 다이아몬드가 촘촘히 박혀 있었다.

회중시계(懷中時計) : 몸에 지닐 수 있게 만든 작은 시계.

"10시 3분 전이군요."

사나이가 말했다.

"10시 정각이었지요. 우리가 빅 조우 브레디 식당 문 앞에서 작별을 한 게 말입니다."

"그래, 서부에 가서 재미 좀 봤습니까? 한 밑천 잡으셨 나 봅니다."

경찰관이 물었다.

"물론이지요. 지미가 내 절반만큼만 성공을 했으면 좋겠습니다. 하지만 그 친구는 야망이 없는 편이었습니다. 융통성融通性도 없고 그저 착하기만 했지요.

서부에서는 남의 돈을 빼앗으려고 덤비는 약삭빠른 놈들과 싸워야 합니다. 나는 지금 의 재산의 모으느라 날고 뛰는 친구들과 경쟁을

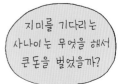

지미를 기다리는 사나이는 무엇을 해서 큰돈을 벌었을까?

융통성(融通性) : 그때그때의 사정과 형편을 보아 일을 처리하는 재주. 또는 일의 형편에 따라 적절하게 처리하는 재주.

해야만 했습니다. 뉴욕에서야 판에 박힌 것처럼 매일매일
이 똑같지만 서부에서 살아남으려면 잠시도 마음을 놓아
서는 안 되죠."

경찰관은 경찰봉을 빙글빙글 돌리면서 말했다.

"나는 이제 가 보겠습니다. 당신 친구분이 약속대로 꼭
왔으면 좋겠군요. 그런데 약속 시간에서 1분도 안 기다리
실 건가요?"

"아닙니다."

사나이는 말했다.

지미가 약속을
잊은 걸까? 10시가
넘었는데 아직도
안 나타났어!

"적어도 30분 정도는 기다려 봐야 하지
않을까요? 지미가 죽지 않고 이 세상에 살
아만 있다면 반드시 그때까지는 올 테니
까요. 안녕히 가십시오, 경찰관 나리!"

"그럼, 안녕히 계십시오."

경찰관은 인사를 하고는 천천히 발걸음
을 옮기며 순찰을 계속했다.

이윽고 차가운 가랑비가 내리기 시작했다.

간간이 불던 바람은 강풍强風으로 바뀌어 쉴 새 없이 휘몰아쳤다.

거리에 드물게 오가는 사람들은 옷깃에 얼굴을 파묻고 어깨를 잔뜩 웅크린 채 호주머니에 손을 찔러 넣고는 발걸음을 재촉했다.

20년 전에 한 친구와의 약속을 지키기 위해 1600킬로미터를 달려온 사나이는 세차게 몰아치는 바람에도 아랑곳하지 않고 철물점 앞에서 담배를 피우며 친구를 기다리고 있었다.

20분쯤 지났을까.

기다란 외투를 입고 귀 밑까지 외투 깃을 세운 키가 큰 사나이가 길 저쪽에서 나타났다. 그 사나이는 길을 급히 건너오더니 철물점 앞에 서서 친구를 기다리는 사나이에게 곧장 다가가며 큰 소리로 물었다.

"자네, 보브 맞어?"

강풍(强風) : 세차게 부는 바람.

어딘지 어색語塞한 말투였다.

"지미 웰스?"

철물점 앞에서 기다리던 사나이가 소리쳤다.

"야, 이거 참!"

방금 온 사나이도 상대방의 두 손을 쥐고 흔들며 소리
쳤다.

"보브 맞구나. 우리가 살아 있는 한 무슨 일이 있어도
반드시 여기서 다시 만날 줄 알았다니까. 보브, 꼭 20년
만이군! 정말 긴 세월이지? 옛날 그 식당은 없어졌어, 보
브. 그게 아직 있었으면 훨씬 더 좋았을 텐데. 그랬다면
우리 둘이서 20년 전처럼 저녁을 먹을 수 있었을 텐데 말
이야. 옛날 이야기를 하면서 말이지. 그래, 서부는 지내기
가 어떻든가?"

"서부야 정말 대단하지. 내가 바라는 건 뭐든지 다 있

어색(語塞) : 잘 모르거나 아니면 별로 만나고 싶지 않았던 사람과 마주 대하여 자
연스럽지 못함.

으니까 말이야. 그리고 내가 갖고 싶은 건 다 내 손에 들어왔지. 그런데 너 꽤 변했구나, 지미. 내가 생각했던 것보다 키가 몇 인치 더 큰 것 같은걸."

"스무 살이 넘어서 키가 더 자랐어."

"그래, 뉴욕에서는 어떻게 지내고 있었어, 지미?"

"그럭저럭 잘 지냈지. 지금은 시청市廳에서 일하고 있다네. 자 가자고, 보브. 내가 잘 아는 집이 있거든. 거기 가서 우리 천천히 지난 얘기나 하자고."

두 사람은 팔짱을 끼고 나란히 거리를 걸어가기 시작했다. 서부에서 온 사나이는 신이 나서 입에 침을 튀기며 자기가 성공하고 출세한 이야기를 자랑스럽게 늘어놓기 시작했다.

상대편 사나이는 외투 깃에 얼굴을 파묻은 채 흥미로운 표정으로 귀를 기울였다.

길모퉁이 약국이 환하게 불을 밝히고 있었다. 그 밝은

시청(市廳) : 시의 행정 사무를 맡아보는 기관.

등불 밑에 이르자 두 사람은 동시에 고개를 돌려 상대방의 얼굴을 바라보았다.

서부에서 온 사나이는 걸음을 우뚝 멈추더니 팔짱을 풀었다.

"자넨 지미 웰스가 아니잖아!"

사나이는 성난 짐승처럼 외쳤다.

"20년이 아무리 긴 세월이라고는 하지만 매부리코가 이렇게 납작하게 주저앉을 리는 없다고!"

"그 20년이라는 긴 세월이 착한 사람을 악한 사람으로 바꾸어 놓기는 하지."

키 큰 사나이가 말했다.

"자네는 벌써 10분 전에 나한테 체포됐어, '실키 봅'. 순순히 따라오는 게 좋지 않을까? 어떻게 된 일인지 궁금한가 보군. 내 알려 주지. 사실은 자네가 이곳으로 올 것 같다고 시카고에서 전보가 왔어. 이제 알겠나? 실은 자네에게 전해 달라고 부

뭐야? 어떻게
된 거지? 보브가
체포된 거라고?

탁 받은 편지가 있어. 경찰서에 가기 전에 여기 이 등불 밑에서 읽어 보게나. 오늘 이 근처를 순찰했던 웰스 경찰관이 쓴 편지라네."

서부에서 온 사나이는 조그만 쪽지를 받아 펼쳤다. 침착하던 사나이의 손이 편지를 다 읽을 무렵에는 약간 떨리고 있었다. 편지의 내용은 짧았다.

보브

나는 우리가 20년 전에 약속한 시간에 약속 장소에 갔었네. 자네가 성냥을 그어 담배에 불을 붙일 때 나는 시카고 경찰이 쫓고 있는 범인이라는 것을 한눈에 알 수 있었어. 하지만 내 손으로 자네를 체포할 수는 없더군. 그래서 경찰서로 돌아가 다른 사복 형사에게 부탁을 한 것이라네.

지미로부터

PART 3

PART 3 PART 3
PART 3 PART 3 PART 3
PART 3 PART 3 PART 3 PART 3
PART 3 PART 3 PART 3 PART 3 PART 3
PART 3 PART 3 PART 3 PART 3 PART
PART 3 PART 3 PART 3 PART 3 PART 3
PART 3 PART 3 PART 3 PART
PART 3 PART 3 PART 3
PART 3 PART 3 PART 3

깊어지는 논술

논술을 잘하려면
어휘력이 풍부해야 해!

PART 3

깊어지는 논술

마지막 잎새 (The Last Leaf)

이 책은 오 헨리가 남긴 수백 편의 단편 소설 가운데 여섯 편의 이야기를 엮은 것입니다. 오 헨리는 짧은 이야기 속에 독자의 예상을 뛰어넘는 반전이 있는 결말로 재미와 감동을 극대화시키고 있지요. 이 책에 실린 〈마지막 잎새〉, 〈크리스마스 선물〉, 〈다시 찾은 삶〉, 〈할렘의 비극〉, 〈붉은 추장의 몸값〉, 〈20년 뒤〉 또한 그러한 특징을 잘 보여 주는 작품들이에요.

오 헨리의 작품은 전 세계에서 널리 사랑받고 있으며, 특히 잘 알려진 〈마지막 잎새〉나 〈크리스마스 선물〉 등은 각 나라에서 중고등학교 필독서에 반드시 포함되어 있을 만큼 청소년들의 사랑을 듬뿍 받고 있답니다.

▲ 〈마지막 잎새〉의 감동적인 결말은 오 헨리의 작품 가운데 가장 유명해요.

오 헨리 (O. Henry, 1862~1910)

미국 노스캐롤라이나 주에서 태어난 오 헨리의 본명은 윌리엄 시드니 포터예요. 3살 때 어머니를 여의고, 정신 질환을 앓는 아버지 밑에서 힘겨운 어린 시절을 보냈다고 해요. 목동, 약사, 우편집배원, 기자, 은행원 등 여러 직업을 전전하다 1890년에 〈구르는 돌〉이라는 잡지를 창간하여 직접 글을 쓰기 시작하면서 작가의 길에 들어섰지요. 첫 번째 단편 소설 〈레이버 캐년의 기적〉을 발표하면서 위대한 단편 소설 작가로서의 시작을 알렸어요.

오 헨리는 주로 서민의 애환을 다룬 작품을 많이 남겼는데, 평생 오직 단편 소설만을 썼다고 해요. 그의 단편 소설은 내용과 형식면에서 수준을 한 단계 끌어올려 푸대접 받던 단편 소설이 본격적인 문학 장르로 자리 잡는 데 이바지했다는 평가를 받고 있지요. 오 헨리의 다른 작품으로는 〈순경과 찬송가〉, 〈도시의 패배〉 등이 있습니다.

▲ 결말이 감동적인 〈크리스마스 선물〉의 표지예요.

마음이 따뜻하면 삶도 따뜻해진답니다!

무엇이 삶을 따뜻하게 만들까요?

오 헨리의 작품들을 재미있게 읽었나요? 어떤 작품이 가장 인상적이었나요? 특히 더 감동을 받은 작품은 각각 다르겠지만 아마도 여섯 작품 모두 여러분의 가슴을 따뜻하게 만들어 주었을 거예요. 그 까닭은 이야기에 등장하는 인물 모두가 따뜻한 인간미를 보여 주고 있기 때문이지요.

〈마지막 잎새〉의 주인공 존시는 폐렴에 걸린 뒤 삶을 포기하고 담쟁이 잎새가 떨어지면 자신도 미련 없이 죽을 거라는 이상한 망상에 사로잡혀 있어요. 그러나 마지막 잎새가 비바람에도 꿋꿋이 견디는 것을 보고 다시 살아갈 힘을 되찾습니다. 존시에게 삶의 의욕을 되찾아 준 그 마지막 잎새는 바로 노화가 버먼 영감의 마지막 작품이었지요.

병들고 가난한 화가 존시에게 삶의 희망을 주기 위해 자신의 생명을 기꺼이 버린 노화가 버먼 영감의 희생이 감동적인 〈마지막 잎새〉에서 작가 오 헨리는 '희망'과 '희생'을 이야기하고 있어요. 버먼 영감의 희생으로 탄생한 '마지막 잎새'는 우리 모두의 가슴속에 희망의 싹을 틔우며 불멸의 걸작으로 길이길이 남을 것입니다.

〈크리스마스 선물〉에서는 가난하지만 서로를 깊이 사랑하는 부부가 주인공입니다. 부부는 크리스마스가 다가오자 상대방을 위해 자신의 가장 소중한 것을 미련없이 내놓으며 크리스마스 선물을 마련하지만 선물은 쓸모없는 것이 되고 말아요. 델러가 머리카락을 팔아 시곗줄을 샀지만 남편 짐은 시계를 팔아 머리빗을 사 왔기 때문이지요.

어긋난 선물은 당장은 쓸모없는 것이 되고 말았어요. 하지만 가난한 부부의 눈물겨운 사랑의 선물은 상대를 위해 자신을 희생해 마련한 세상의 그 어떤 선물보다 값진 선물이었지요. 진심으로 서로를 사랑하는 두 사람의 마음은 삶에서 소중한 것이 어떤 것인지 되돌아 보게 하며 잔잔한 감동을 안겨 줍니다.

〈다시 찾은 삶〉에서 새로운 삶을 살기로 결심한 금고 강도 지미 발렌타인은 사랑하는 사람 앞에서 자기의 어두운 과거가 들통 날 뿐만 아니라 감옥에 들어가야 할지도 모를 상황에 처하게 돼요. 그러나 지미는 자신의 정체가 드러날 범죄 기술을 사용해서 어린아이의 생명을 구하지요. 그 모습에 감동한 형사는 그를 체포하지 않고 모르는 척 돌아섭니다.

지미가 금고를 털기 위해 사용했던 연장을 어린아이를 구하는 데 사용하는 순간 그 연장은 금고 강도가 돈을 훔치는 데 사용하는 연장이 아니라 사람의 생명을 구하는 도구가 되었어요. 이렇듯 물건은 어디에 쓰느냐에 따라 달라질 수 있습니다.

〈붉은 추장의 몸값〉은 포복절도할 웃음을 선사합니다. 〈붉은 추장의 몸값〉의 두 유괴범은 시종일관 어린 붉은 추장에게 처참하게 당하기만 합니다. 작가 오 헨리는 악한 범죄자에게조차 인간미를 불어넣어 동정을 하도록 만들고 있습니다. 그래서 마치 한 편의 코미디를 보는 것처럼 유쾌하게 웃을 수 있지요.

　〈20년 뒤〉는 두 친구가 20년 전의 약속을 지키기 위해 약속 장소에서 만나지만 한 친구는 범죄자로 한 친구는 경찰관으로 만난다는 쓸쓸한 이야기예요. 20년이라는 긴 시간은 두 사람의 운명을 바꿔 놓았지만 약속을 지키려는 마음, 우정을 소중히 여기는 마음이 가슴을 따뜻하게 해 주지요.

오 헨리의 이야기를 읽으면 삶이 비록 고단한 것이라 해도 살 만한 것이라는 희망과 그 희망을 만들어 내는 것은 인간의 따뜻한 마음이라는 걸 깨닫게 해 줍니다.

작가 오 헨리는 평범한 우리 이웃들, 가난한 사람들부터 부랑자와 범법자에 이르기까지 모든 사람의 삶을 감싸 안습니다. 그들의 도덕적인 결점들은 마법과도 같은 반전을 통해 절묘한 웃음과 희망, 삶에 대한 따뜻한 이해로 바뀌지요.

여러분들도 살아가다 보면 때로 사는 것이 힘들다고 느껴지는 순간이 있을 거예요. 그럴 때 오 헨리의 이야기들을 떠올려 보세요. 여러분의 삶을 따뜻하고 유쾌하게 반전시킬 수 있는 힘을 발견할 수 있을 거예요.

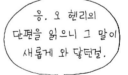

응. 오 헨리의 단편을 읽으니 그 말이 새롭게 와 닿던걸.

뒤뚱아, "사람이 꽃보다 아름답다."는 말 알지?

PART 4
PART 4 PART 4
PART 4 PART 4 PART 4
PART 4 PART 4 PART 4 PART 4
PART 4 PART 4 PART 4 PART 4 PART 4
PART 4 PART 4 PART 4 PART 4 PART 4
PART 4 PART 4 PART 4 PART 4 PART
PART 4 PART 4 PART 4 PART
PART 4 PART 4 PART 4
PART 4 PART 4

논술 워크북

신 나는 논술의 나라로
함께 떠나 볼까?

PART 4

논술 워크북

1-1 〈마지막 잎새〉에서 존시는 어떻게 살아갈 의욕을 되찾
았나요?

1-2 〈붉은 추장의 몸값〉에서 두 무법자의 유괴 사건은 어떻
게 결말이 났나요?

HINT

본문을 잘 읽고 물음에 답하세요.

2 〈다시 찾은 삶〉에서 마지막 순간에 벤 프라이스 형사는 지미 발렌타인을 체포하지 않고 놓아주었습니다. 아래에 쓰여 있는 주장을 읽고, 벤 프라이스 형사의 행동에 비판할 점이 있다면 적절하게 비판해 보세요.

- 공무를 집행하는 사람은 개인적인 친분이나 감상적인 온정주의, 이득 등에 따라 일을 처리하지 말고, 항상 냉정하고 엄격해야 한다.

HINT

벤 프라이스 형사의 행동이 위의 주장과 어떤 점에서 어긋나고 있는지 생각해 보세요.

3 오 헨리는 자신의 작품들에서 반전 기법을 통해 웃음과
감동을 주고 있습니다. 만약 다음의 이야기 결말 부분에
반전을 꾀하려면 어떻게 끝맺음을 하면 좋을까요? 각자
상상해서 극적 반전을 만들어 보세요.

> 그는 한때 성실하게 생활했던 순진한 젊은이였지만, 지금은
> 도시의 어둠 속을 떠도는 부랑자가 되고 말았습니다.
> 추위가 성큼 다가온 초겨울 어느 날, 춥고 배가 고픈 그는 차
> 라리 감옥에 들어가고 싶었습니다. 그래서 일부러 순경 앞에서
> 가게 유리창을 깨고, 여성을 희롱하는 등 법에 어긋나는 행동을
> 했지만 순경은 그를 체포하지 않았습니다.
> 어느 날 그는 한 교회 앞에 이릅니다. 교회에서 흘러나오는
> 찬송가 소리에 감동을 받은 그는 새 출발을 하여 성실한 삶을
> 살기로 결심합니다.
>
> － 오 헨리의 〈순경과 찬송가〉 중에서

HINT

반전의 효과를 생각해 보면서, 자유롭게 상상해 보세요.

4 '〈붉은 추장의 몸값〉에 나오는 두 무법자는 악인이다.' 라는 주장을 옹호하거나 반대하는 논증을 만들어 보세 요.

- **옹호하는 논증 :**

- **반대하는 논증 :**

HINT

각각 자신의 생각에 따라서 두 입장 가운데 하나를 택해서 논증하세요.

5 다음은 프랑스 작가 기 드 모파상의 단편 소설 〈목걸이〉
를 간추린 것입니다.

아름다운 외모를 가진 마틸드는 남들의 부러움을 받는 화려
한 삶을 꿈꾸는 허영심 많은 여자였다. 그러나 하급 관리와 결혼
해 평범한 삶을 살게 된 마틸드의 마음속에는 점점 불만이 쌓여
간다.

어느 날 마틸드는 상류층의 파티에 초대 받는다. 초라하게
보이는 것이 싫은 마틸드는 무리해서 새 드레스를 사 입고, 친
구에게 다이아몬드 목걸이를 빌려 한껏 치장을 하고 파티에 참
석한다.

파티에서 한껏 찬사를 받으면서 오랜만에 기분을 내고 집에
돌아온 마틸드는 목걸이가 사라진 것을 알고 하얗게 질리고 만
다. 그만 빌린 목걸이를 잃어버리고 만 것이다. 그녀와 남편은
똑같은 목걸이를 사서 친구에게 돌려주기로 한다. 그러나 목걸
이는 너무나 비싸서 그들은 여기저기서 돈을 빌려야만 했다. 그
리고 그들은 돈을 갚기 위해서 힘든 일을 해야만 했다. 마틸드는
전에는 상상조차 할 수 없었던 고된 생활을 하기 시작한다.

빚을 갚기까지 무려 10년의 시간이 걸렸다. 옛날의 아름답고
허영심 많던 모습은 간 곳이 없고 마틸드는 어느새 생활고에 찌
든 늙고 거친 여인의 모습으로 변해 있다. 마틸드는 때때로 생각
하곤 한다.

'그때 파티에 가지 않았더라면…… 목걸이를 빌리지 않았더라면……'

어느 날, 마틸드는 우연히 목걸이를 빌렸던 친구를 만난다. 친구는 너무나 변해 버린 마틸드를 알아보지 못한다. 마틸드는 친구에게 자신이 예전에 목걸이를 잃어버렸으며 똑같은 목걸이를 사서 돌려주기 위해 힘겨운 생활을 했음을 고백한다.

"하지만 이제 괜찮아. 빚을 다 갚았으니까."

마틸드의 자랑스런 표정을 앞에 두고 친구가 눈물을 글썽이면서 외친다.

"오, 마틸드! 가엾은 마틸드! 그 목걸이는 가짜였어! 싸구려 가짜였다고!"

모파상의 〈목걸이〉와 오 헨리의 〈크리스마스 선물〉에 나타나는 공통점과 차이점에 대해 '반전'을 중심으로 논술해 보세요.

HINT

두 작품 모두 반전이 있지만, 〈크리스마스 선물〉이 따뜻하다면 〈목걸이〉는 냉소적입니다.

6 다 쓴 글을 친구나 부모님 앞에서 발표해 보세요. 그리고 듣는 사람이 고개를 끄덕이는지 아니면 고개를 갸우뚱하는지 반응도 살펴보세요. 발표가 끝난 후 평가도 부탁해 보세요.

가이드북
GUIDE BOOK

작품의 전체 줄거리

이 책에는 오 헨리의 단편 가운데 여섯 편의 작품이 실려 있습니다. 〈마지막 잎새〉에서 존시는 폐렴에 걸려 삶을 포기하지만, 버먼 할아버지가 목숨을 걸고 그린 마지막 잎새를 보고 살아갈 희망을 되찾습니다. 〈크리스마스 선물〉에서는 자신에게 가장 소중한 것을 팔아서 서로를 위한 선물을 산 부부의 이야기가 그려집니다. 〈다시 찾은 삶〉에서 금고 강도 지미 발렌타인은 어린아이를 구하기 위해서 자신의 정체가 드러날 위험을 감수합니다. 〈할렘의 비극〉에서 핑크 부인은 남편에게 맞고 사는 친구가 부러워 남편의 폭력을 유도하지만 점잖기만 한 남편은 때리는 대신에 빨래를 해 줍니다. 〈붉은 추장의 몸값〉에서 무법의 두 사나이는 소년을 유괴하지만 소년은 상상을 뛰어넘는 악동이었습니다. 실컷 괴롭힘만 당한 무법의 두 사나이들은 오히려 돈까지 얹어 주면서 소년을 아버지에게 데려다 줍니다. 〈20년 뒤〉에서는 20년 만에 범죄자와 경찰관으로 만난 두 친구의 우정을 그리고 있습니다.

〈마지막 잎새〉의 의미

1862년에 태어난 미국 작가 오 헨리는 주로 미국의 도시, 특히 뉴욕을 배경으로 한 단편을 많이 썼습니다. 이 책에 실린 〈마지막 잎새〉, 〈크리스마스 선물〉, 〈할렘의 비극〉이 뉴욕을 배경으로 하고 있습니다.

오 헨리의 작품에는 공통적으로 인간에 대한 이해와 긍정의 시선이 들어 있으며, 따뜻한 웃음이 녹아 있습니다. 그래서 '휴머니즘의 작가'라는 평가를 받기도 합니다. 작품의 구성이 탄탄하고, 이야기가 기발하면서도 논리적이며 언어 구사력이 뛰어나 단편 소설을 본격 문학 작품의 반열에 올렸다는 평가를 받기도 합니다.

1-1 사고 영역 _ 사실적 이해

본문을 잘 읽었는지 확인하는 문제입니다. 작품을 잘 읽었다면, 바르게 답할 수 있습니다.

폐렴에 걸린 존시는 몸과 마음이 쇠약해진 상태였습니다. 존시는 창밖의 담쟁이 잎새가 모두 떨어지면 자신도 죽을 것이라는 망상에 사로잡혀 있었습니다. 그러자 버먼 할아버지가 벽에 담쟁이 잎새를 그려 넣었지요. 존시는 모진 비바람에도 꿋꿋이 견디는 마지막 잎새를 보고 다시 삶에 대한 희망과 의지를 되찾을 수 있었습니다.

1-2 사고 영역 _ 사실적 이해

본문을 잘 읽었는지 확인하는 문제입니다. 작품을 끝까지 잘 읽었다면, 바르게 답할 수 있습니다

〈붉은 추장의 몸값〉에서 두 무법자의 계획은 아이를 납치하여 부모에게 돈을 받아 내는 것이었습니다. 그러나 그들은 상상을 초월하는 악동을 유괴하는 바람에 계획과는 반대로 오히려 아이의 아버지에게 아이를 다시 맡아 주는 대가로 돈을 주고는 내빼고 말았습니다.

CHECKPOINT
본문을 잘 읽었는지 확인합니다.

2 **사고 영역 _ 비판적 사고**

등장인물의 행동을 제시된 주장에 비추어 분석하면서 비판적 사고력을 기르는 문제입니다.

〈다시 찾은 삶〉에서 작품 내내 냉정하고 집요한 인물로 묘사되었던 벤 프라이스 형사는 지미 발렌타인을 체포하지 않고 놓아주었습니다. 이것은 지미 발렌타인의 선행에 마음이 움직여 엄격하게 공무를 집행하지 못하고 인간적인 감상에 따른 온정을 베푼 것이라고 해석할 수 있습니다.

이러한 행동은 위의 주장 가운데 '공무를 집행하는 사람은 감상적 온정주의에 따라 일을 처리하지 말아야 한다'는 주장을 정확하게 위반하고 있습니다.

벤 프라이스 형사와 지미 발렌타인과의 관계에서 '개인적 친분'이나 '이득'라는 부분은 해당하지 않기 때문에 여기에서는 벤 프라이스 형사가 '감상적 온정주의'에 따라 공무를 처리한 점을 정확하게 지적하여 비판해 주는 것이 적절합니다.

 CHECKPOINT

벤 프라이스 형사의 행동의 이유를 정확하게 말하고, 그것이 제시된 주장에서 어떤 부분에 해당하는가를 지적할 수 있어야 합니다.

---

3 **사고 영역 _ 창의적 사고** ────────

작품에서 구사된 기법을 스스로 만들어 보면서 창의적 문제 해결력을 길러 보는 문제입니다.

　제시문은 오 헨리의 단편 가운데 〈순경과 찬송가〉라는 작품의 줄거리입니다. 이 작품 역시 결말 부분에 반전이 있는데 제시된 줄거리에서는 빠져 있습니다. 원작에서의 반전은 '마음을 고쳐먹고 새 출발을 결심한 바로 다음 순간에 순경이 주인공을 체포하여 감옥으로 보낸다' 는 내용입니다.

　여러분은 어떠한 반전을 상상했나요? 하나의 예를 든다면, '찬송가를 부른 사람 사실은 순경이었다. 예전부터 그의 행동을 눈여겨보고 마음을 돌리게 만들고 싶어 했다' 는 등의 반전을 상상해 볼 수 있겠지요.

　정답이 없는 문제입니다. 자신이 상상한 것을 자유롭게 말해 보고, 원작의 반전과 한번 비교해 보세요.

✓ **CHECKPOINT**

반전이 무엇인지 제대로 이해하고 반전으로서의 효과가 있는 이야기를 생각해 낼 수 있도록 도와주세요.

사고 영역 _ 논리적 사고

자신의 의견에 따라서 주어진 주장을 옹호하거나 반대하는 논증을 만들어 보면서 논술의 기초를 익히는 문제입니다.

- **옹호하는 논증의 예** : 〈붉은 추장의 몸값〉에 나오는 두 무법자는 어린이 유괴라는 중대한 범죄를 저질렀다는 것을 놓고 볼 때 악인이라 하기에 충분합니다. 어린이 유괴는 약자인 어린이를 대상으로 한다는 점에서 이미 용서 받기 힘든 죄입니다. 두 사람은 남의 돈을 빼앗기 위해 범죄를 저질렀습니다. 돈에 눈이 멀어 물불을 가리지 않고 인간으로서 최소한 지켜야 할 양심마저 저버린 이 같은 이들을 우리는 '악인'이라고 정의할 수 있을 것입니다.

- **반대하는 논증의 예** : 〈붉은 추장의 몸값〉에 나오는 두 무법자를 악인이라고 하기는 힘듭니다. 동기는 순수하지는 않았지만, 처음부터 죽이거나 위해를 가하거나 부모를 괴롭힐 목적으로 벌이는 유괴에 비한다면 악하다고까지는 할 수 없습니다. 두 무법자는 아무리 괴롭힘을 당해도 꼬마에게 해를 가하지 않고 놀아 주기까지 합니다. 결과적으로는 오히려 당하기만 하다가 손해를 보고 꼬마를 집으로 돌려보냈습니다. 이것을 보면 그들은 범죄자이기는 하지만, 최소한의 양심과 인간적인 선한 마음을 보여 주었으므로 악인이라고 할 수 없습니다.

CHECKPOINT
적절한 근거를 들어 설득력 있게 논증할 수 있어야 합니다.

5 사고 영역 _ 논리적 사고

제시문을 정확히 분석하여 주어진 과제를 서술하는 문제입니다.

모파상의 〈목걸이〉와 오 헨리의 〈크리스마스 선물〉은 이야기에서 절묘한 반전을 보여 준다는 공통점이 있습니다. 그리고 두 작품 모두에서 반전은 주제 의식을 명료하게 드러내는 역할을 하고 있습니다.

그렇지만 각각 반전을 통해 드러내는 주제 의식은 두 작품이 거의 대립적이라고 표현할 수 있을 정도로 판이하게 다릅니다. 〈목걸이〉에서 마틸드는 어리석음과 허영심으로 인하여 치명적인 실수를 저지르고 맙니다. 그리고 10년이라는 세월 동안 그 대가를 치러야 했습니다.

그런데 결말 부분의 반전은 마틸드의 그 10년을 일순간에 모두 헛것으로 만들고 맙니다. 읽는 사람에게 헛웃음을 불러일으키며, 인생이 허망하고 덧없는 것이라는 주제를 강하게 전달하지요. 그에 반하여 〈크리스마스 선물〉의 반전은 삶은 따스하고 살 만한 것으로 느끼게 하며, 진한 사랑과 휴머니즘의 메시지를 전달합니다.

CHECKPOINT

제시된 글과 〈크리스마스 선물〉에 나오는 반전에 어떤 차이가 있는지 파악해야 합니다.

다음은 논술 5단계 문제에 대한 예시 글입니다. 지도에 참고하시기 바랍니다.

　모파상의 〈목걸이〉는 허영심과 욕심으로 인하여 마틸드의 인생이 달라지는 모습을 그립니다. 그러다가 결말에서 마틸드의 인생을 바꿔 놓은, 긴 세월 동안 값비싼 것이라고 믿었던 잃어버린 목걸이가 사실은 싸구려 가짜였다는 충격적인 반전으로 이야기가 마무리됩니다.

　오 헨리의 〈크리스마스 선물〉은 가난한 아내가 남편을 위해 머리카락을 잘라 팔아 시곗줄을 사는 이야기로 시작됩니다. 그런데 결말 부분에 남편 역시 아내를 위해 시계를 팔아서 머리빗을 샀다는 반전이 기다리고 있습니다.

　위에서 설명한 것처럼 〈목걸이〉와 〈크리스마스 선물〉은 이야기의 결말 부분에서 반전 기법을 사용했다는 공통점을 갖고 있습니다. 결말에 나오는 반전이 작품의 주제 의식을 명확하게 드러내 주는 역할을 한다는 점도 공통점이지요. 그러나 반전에 의해 주제 의식이 드러난다는 구성 기법의 공통점이 있을 뿐, 두 작품의 주제는 서로 대조적이라고 느껴질 정도로 판이하게 다릅니다.

　〈목걸이〉의 반전은 차곡차곡 이야기해 온 주인공의 인생에서 그나마 남아 있는 가치를 일시에 날려 버리는 충격적인 것입니다. 씁쓸한 웃음과 인생은 허망한 것이라는 느낌을 주지요. 반면에 〈크리스마스 선물〉의 반전은 차곡차곡 이야기해 온 인물들의 행동에 사랑과 희생, 인간애 같은 따스한 의미를 부여합니다. 〈목걸이〉가 허망한 인생을 이야기한다면, 〈크리스마스 선물〉은 살 만한 인생을 이야기하는 것입니다.

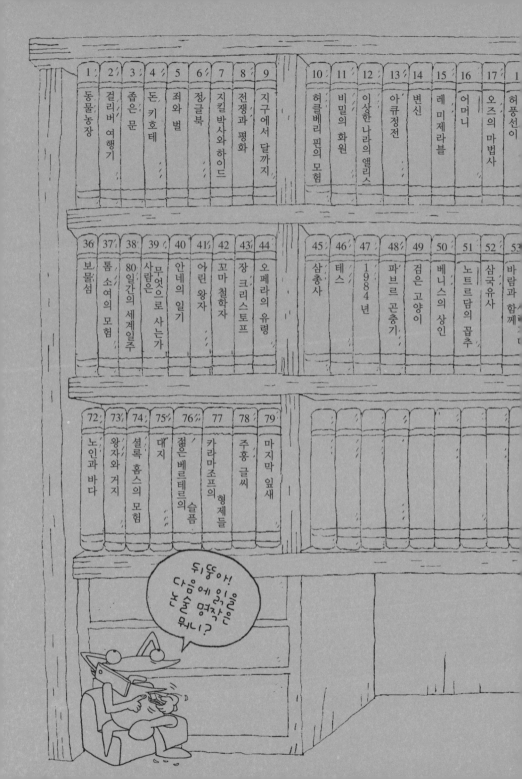

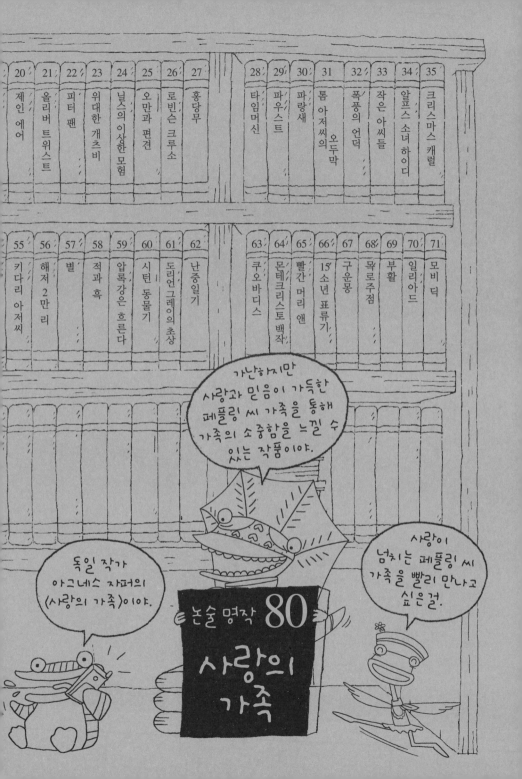